# 성공하는 의사들의
# 의료법 지식

## Medical Law A to Z for Medical Professionals

● **의료광고 규제** 편

대표 저자 **이윤환** (법률사무소 윤헌 대표 변호사)
공동 저자 **최훈일** (법률사무소 윤헌 파트너 변호사)

# 성공하는 의사들의 의료법 지식

## 의료광고 규제편

첫째판 1쇄 인쇄 | 2022년 5월 30일
첫째판 1쇄 발행 | 2022년 6월 7일

지 은 이  이윤환, 최훈일
발 행 인  장주연
출 판 기 획  이성재
책 임 편 집  강미연
편집디자인  조원배
표지디자인  김재욱
제 작 담 당  이순호
발 행 처  군자출판사(주)
　　　　　등록 제4-139호(1991. 6. 24)
　　　　　본사 (10881) **파주출판단지** 경기도 파주시 회동길 338(서패동 474-1)
　　　　　전화 (031) 943-1888　　　팩스 (031) 955-9545
　　　　　홈페이지 | www.koonja.co.kr

ISBN 979-11-5955-162-8

정가 15,000원

# 성공하는 의사들의
# 의료법 지식

Medical Law A to Z for Medical Professionals

• 의료광고 규제 편

# 머리말

21세기 시작과 함께 전통적인 산업분야는 저성장 시대를 맞이하였습니다. 저출산으로 인하여 시장의 성장은 한계를 보이기 시작했고, 혁신적인 사업의 발굴이 절대적으로 필요한 시기에 이르렀습니다.

21세기에 의료산업은 저성장 고령화 시대에서 고부가가치를 창출할 수 있는 유망 분야로 언급되고 있습니다. 지난 20년간 국내 의료시장에는 급격한 시장 변화가 있었고, 수많은 해외 환자들이 국내로 의료관광을 오고 있으며, 국내 의료기관들이 해외에 진출한 사례도 어렵지 않게 발견할 수 있습니다.

그럼에도 불구하고 의료산업은 규제에 있어서 기타 산업과 차별점을 가지고 있습니다. 국민 건강과 밀접한 관련이 있기 때문입니다. 의료광고가 의료법의 규제를 받고, 영리병원이 인정되지 않는 이유는 의료분야를 단순히 산업으로 보지 않는 관점 때문입니다.

필자는 의료분야에 몸 담은 변호사로서 많은 의료분야 종사자들을 만나 보았습니다. 병의원 측면에서 바라보면 의료시장은 경쟁시장에 가깝고, 병의원에서는 환자를 유치하기 위해 의료광고를 하여야 하는데, 의료광고 시장은 의료법의 규제를 받다 보니 병의원 운영자인 원장님들은 의료법 위반으로 인한 행정벌 및 형사 처벌에서 자유로울 수 없습니다.

한편 대부분의 병의원들은 개인사업자 형태의 소규모로 운영되다 보니, 법률 검토를 받는 것도 쉽지 않고, 의료법을 숙지하지 못한 의료광고 책임자가 의료광고를 집행하는 경우도 쉽게 발견할 수 있습니다.

저자는 병의원을 운영하는 원장님들은 물론 의료분야 종사자들에게 필수적인 법적 상식들을 제공하기 위하여 본서를 집필하였고, 본서는 우선적으로 범위를 의료광고규정에 한정하여 집필되었습니다.

필자가 의료분야 종사자들로부터 들었던 질의사항들을 의료광고 규제 체계 하에서 설명하고자 노력하였고, 의료분야 종사자들의 예상질문을 Q&A 섹션으로 제공하고 있으며, 관련 판례들 및 변호사의 tip을 수록하였습니다.

본서가 병의원 원장님들 및 의료분야 종사자들에게 든든한 길잡이가 되었으면 하는 바램입니다.

법률사무소 윤헌 대표 변호사 **이 윤 환**

# 목차

성공하는 의사들의 의료법 지식
| 의 료 광 고 　규 제 편 |

I

성공하는 의사들의 의료법 지식
| 의 료 광 고   규 제 편 |

# 의료광고의 규제

「의료법」은 의료 서비스를 공공재의 성격을 지닌 것으로 보고 있으므로, 국민건강에의 위해 발생 예방, 건전한 의료경쟁질서의 확립 및 소비자의 선택권 보장을 위하여 의료광고를 규제하고 있습니다.

이하에서는 의료광고를 규제하는 법령 체계를 살펴보고, 의료광고의 규제 대상을 살펴보도록 하겠습니다.

## 1. 의료광고의 규제 체계

의료광고를 규제하는 법률은 기본적으로 「의료법」 입니다. 「부정경쟁방지 및 영업비밀보호에 관한 법률」 및 「표시·광고의 공정화에 관한 법률」 등이 광고라는 측면에서 의료광고를 규제할 수 있음은 당연하지만, 의료소비자를 직접적으로 보호하기 위하여 제정된 특별법은 「의료법」 이므로, 의료광고에 대한 규제의 대부분은 「의료법」 이 규율하고 있습니다.

「의료법」 중 제56조 내지 제57조의2는 의료광고를 직접적으로 규제하는 법률이고, 소개·알선·유인행위를 금지하는 「의료법」 제27조 제3항은 의료광고를 간접적으로 규제하는 법률에 해당합니다.

한편 「의료법」 이 의료광고를 일반·추상적으로 규제하므로, 「의료법 시행령」, 「의료법 시행규칙」은 의료광고를 구체적으로 규제하고, 「의료관계 행정처분 규칙」은 보건복지부의 처분기준 등을 규정하고 있습니다.

그런데 의료광고 분야에는 법령 외에도 현실적으로 의료광고를 규제하는 역할을 하는 '심의기준'이 존재합니다. 상당수의 의료광고가 의료광고 심의 대상에 해당하고, 의료광고 심의필을 획득하기 위하여 자율심의기구(대표적인 자율심의기구로는 대한의사협회 의료광고심의위원회가 있습니다)의 '사전자율심의기준'에 부합해야 하므로, '심의기준'은 현실적으로 의료광고를 규제하는 역할을 하고 있습니다.

## 2. 의료광고의 규제 대상

의료광고의 규제 대상을 살펴보기 위하여 의료광고의 규제 대상을 인적대상과 물적대상으로 나누어 살펴볼 수 있습니다.

우선 인적대상을 살펴보면, 「의료법」 제56조 제1항은 의료기관 개설자, 의료기관의 장 또는 의료인이 아니면 의료광고를 할 수 없다고 규정하고 있으므로 의료광고의 규제 대상은 의료인 등입니다. 그러나 위 조항을 반대로 적용하면, 의료인이 아닌 자가 의료광고를 하였을 경우에도 「의료법」 위반에 해당하므로, 비의료인도 의료광고의 규제 대상이 될 수 있습니다.

### Q. 셀럽이 자신의 SNS에 병원을 포스팅하면 「의료법」 위반인가요?

「의료법」 제56조 제1항에 따라 비의료인은 의료광고를 할 수 없습니다. 따라서 셀럽이 자신의 SNS에 의료광고에 대한 내용을 포함하여 포스팅하였다면 '비의료인의 의료광고'에 해당하여 「의료법」 위반이 될 수 있습니다.

반면 셀럽이 경제적 대가 없이 단순한 주관적 평가만을 포스팅 한 경우에는 의료광고에 해당하지 않으므로, 해당 포스팅은 「의료법」 위반에 해당하지 않습니다.

### Q. 네트워크 병원의 의료광고 주체는 누구인가요?

현행 「의료법」 상 다수의 의료기관이 소속된 네트워크는 의료광고의 주체인 의료기관 개설자, 의료기관의 장 또는 의료인이 될 수 없으므로, 네트워크에 소속된 의료기관이 광고주체가 되어야 합니다.

다음으로 의료광고의 물적대상을 살펴보면, 「의료법」 제56조 제1항은 의료광고를 '의료인등이 신문·잡지·음성·음향·영상·인터넷·인쇄물·간판, 그 밖의 방법에 의하여 의료행위, 의료기관 및 의료인등에 대한 정보를 소비자에게 나타내거나 알리는 행위'로 정의하고 있으므로, 현실적으로 의료광고의 물적대상에는 제한이 없다고 볼 수 있습니다.

과거 「의료법」은 '의료광고'에 대한 정의 규정을 포함하지 않고 있었으므로, 대법원은 의료광고를 '의료인 등이 업무 및 기능·경력·시설·진료방법 등 의료기술과 의료행위 등에 관한 정보를 신문·인터넷신문·정기간행물·방송·전기통신 등의 매체나 수단을 이용하여 널리 알리는 행위'라고 정의하였습니다.

그런데 2018. 3. 27. 시행된 개정 「의료법」에서 제56조 제1항에 '의료광고'에 대한 정의 규정을 포함하면서, 의료광고의 매체를 기존 정의보다 포괄적으로 나열하였고, 특히 '(일반인에게) 널리 알리는' 이라는 문구를 삭제하여 정보를 제공하는 모든 행위를 의료광고로 포함하고 있습니다.

### Q. 유리액자 형태의 약력서를 게재하는 것도 의료광고인가요?

과거 대법원은 '의료기관이 유리액자 형태의 약력서를 의원 내에만 게시한 경우, 일반인에게 널리 알리지 아니한 점, 전파가능성이 상대적으로 낮은 점 등을 이유로 해당 행위가 (의료)광고에 해당하지 아니하여 「의료법」 제56조가 적용되지 않는다고 판시한 바 있습니다(대법원 2016. 6. 23. 선고 2014도16577 판결).

그런데 2018. 3. 27. 시행된 개정 「의료법」 제56조 제1항에서 '의료광고'를 정의하면서 의료광고 매체를 사실상 제한하지 아니하였고, 단순히 알리는 행위도 의료광고로 보고 있습니다. 따라서 개정 「의료법」에 따르면 원내에 유리액자 형태의 약력서를 게시하는 행위도 의료광고로 볼 가능성이 있습니다.

### Q. 로그인 절차 이후에 볼 수 있도록 전후사진을 홈페이지에 게재하는 것이 의료광고인가요?

2018. 3. 27. 「의료법」 개정 이전 대법원은 (일반인에게) 널리 알리는 행위를 '의료광고'로 보았으므로, 전후사진을 불특정 다수의 일반인이 아닌 로그인 절차를 통해서 제한된 이용자에게만 노출하는 행위는 전파가능성이 낮으므로 '광고'에 해당하지 않는다고 보는 실무례가 많았습니다.

그러나 2018. 3. 27. 시행된 개정 「의료법」에 따르면 로그인 절차를 거치도록 한 경우에도 '광고'에 해당한다고 볼 가능성이 있습니다.

특히 별도의 회원가입 절차를 생략하고 기존 가입된 포털사이트 아이디 또는 임시아이디를 발급받아 접속이 가능하도록 회원 가입 절차를 간소화하는 '소셜 로그인'은 사실상 불특정 다수인이 게시물을 열람할 수 있도록 운영하는 것과 마찬가지이므로, 게재 내용이 의료인, 의료기술 및 의료행위에 관한 정보를 포함하는 한 「의료법」이 규정하는 의료광고에 해당할 가능성이 높다고 판단됩니다.

## 3. 의료광고 규제의 특징

「의료법」 중 의료광고를 직접적으로 규제하는 조항은 단 3개에 불과하므로, 「의료법」은 일반·추상적으로 의료광고를 규제하고 있습니다. 예를 들어 설명하자면, 「의료법」 제56조 제2항 제8호는 일반·추상적으로 '과장광고'를 금지하고 있지만, 특정 광고가 '과장광고'인지 여부를 개별·구체적으로 판단하기 위해서는 결국 사법부의 판단을 받아야 하는 경우가 많습니다.

한편 「의료법」의 주된 규제 대상은 국민의 건강증진과 관련된 행위, 즉 예방·진단·치료·재활·출산·사망 등의 의료행위입니다. 반면 최근 의료업계에는 미용시술과 같이 국민의 건강증진과 무관한 영역이 발생하고 있고, 이러한 영역에서의 경쟁은 전통적인 의료시장보다 치열하여 해당 영역에서 의료광고가 쏟아지고 있습니다. 따라서 「의료법」이 여전히 보수적인 시각에서 치료 영역을 중심으로 의료광고를 규제하고 있으므로, 경쟁이 무한으로 치닫는 영역(예를 들어, 국민의 건강증진과 관련되지 않은 미용 분야 또는 비급여 부분 등)에서의 의료광고는 소비자를 매혹시키는 내용을 포함하는 경우가 많을 수밖에 없어 현실적으로 「의료법」을 위반할 소지가 높습니다.

PART

성공하는 의사들의 의료법 지식
| 의 료 광 고  규 제 편 |

# 의료광고의 심의

「의료법」제57조는 특정 매체를 이용하는 의료광고는 사전의료광고심의를 받도록 규제하고 있으며, 동법 제56조 제2항 제11호에서는 의료광고심의 대상이면서도 사전의료심의를 받지 않은 의료광고를 금지하고 있습니다.

2015. 12. 23. 헌법재판소는 "사전심의를 받지 아니한 의료광고를 금지하고 이를 위반한 경우 처벌하는 「의료법」제56조 제2항 제9호 중 '제57조에 따른 심의를 받지 아니한 광고' 부분 및 「의료법」제89조 가운데 제56조 제2항 제9호 중 '제57조에 따른 심의를 받지 아니한 광고'에 관한 부분이 사전검열금지원칙에 위배된다."고 결정을 하여 사전심의규정이 위헌이라고 보았으나, 국회는 2018. 3. 27. 시행된 「의료법」일부개정을 통하여 「의료법」제57조의2에 자율심의기구에 관한 규정을 추가하여 사전심의제도를 부활시켰습니다.

이하에서는 2018. 3. 27.자 「의료법」일부개정으로 인하여 부활된 의료심의규정을 중심으로 살펴보도록 하겠습니다.

## 1. 심의대상매체

「의료법」제57조 제1항 및 「의료법 시행령」제24조는 심의대상매체를 정하고 있는데, 이를 정리하면 다음과 같습니다.

가. 「신문 등의 진흥에 관한 법률」 제2조에 따른 신문·인터넷신문 또는 「잡지 등 정기간행물의 진흥에 관한 법률」 제2조에 따른 정기간행물 (동일한 제호로 연 2회 이상 계속적으로 발행하는 간행물)

① 신문: 일반일간, 특수일간, 일반주간, 특수주간

② 인터넷신문: 독자적 기사 생산과 지속적인 발행 등 대통령령으로 정하는 기준을 충족하는 것

③ 정기간행물: 잡지, 정보간행물, 전자간행물, 기타간행물

나. 옥외광고물 등의 관리와 옥외광고산업 진흥에 관한 법률 제2조 제1호에 따른 옥외광고물 중 현수막, 벽보, 전단 및 교통시설·교통수단에 표시되는 것

① 옥외광고물: 공중에게 항상 또는 일정기간 계속 노출되어 공중이 자유로이 통행하는 장소에서 볼 수 있는 것

(대통령령으로 정하는 교통시설 또는 교통수단에 표시되는 것을 포함한다)

② 현수막: 천·종이·비닐 등에 문자·도형 등을 표시하여 건물 등의 벽면, 지주, 게시시설 또는 그 밖의 시설물 등에 매달아 표시하는 광고물

③ 벽보: 종이·비닐 등에 문자·그림 등을 표시하여 지정게시판·지정벽보판 또는 그 밖의 시설물 등에 붙이는 광고물

④ 전단: 종이·비닐 등에 문자·그림 등을 표시하여 옥외에서 배부하는 광고물

⑤ 교통시설 이용 광고물: 교통시설에 문자·도형 등을 표시하거나 목재 ·아크릴·금속재 등의 게시시설을 설치하여 표시하는 광고물

⑥ 교통수단 이용 광고물: 교통수단 외부에 문자·도형 등을 아크릴·금속재 등의 판에 표시하여 붙이거나 직접 도료로 표시하는 광고물

다. 전광판

라. 대통령령으로 정하는 인터넷 매체

① 인터넷뉴스서비스: 신문, 인터넷신문, 뉴스통신, 방송 및 잡지 등의 기사를 인터넷을 통하여 계속적으로 제공하거나 매개하는 전자간행물. 다만, 제2호의 인터넷신문 및 「인터넷 멀티미디어 방송사업법」 제2조 제1호에 따른 인터넷 멀티미디어 방송, 그 밖에 대통령령으로 정하는 것을 제외

② 「방송법」 제2조 제3호에 따른 방송사업자가 운영하는 인터넷 홈페이지

③ 「방송법」 제2조 제3호에 따른 방송사업자의 방송프로그램을 주된 서비스로 하여 '방송', 'TV' 또는 '라디오' 등의 명칭을 사용하면서 인터넷을 통하여 제공하는 인터넷 매체

④ 정보통신서비스 제공자 중 전년도 말 기준 직전 3개월 간 일일 평균이용자 수가 10만 명 이상인 자가 운영하는 인터넷 매체

⑤ 전년도 말 기준 직전 3개월 간 일일 평균 이용자 수가 10만 명 이상인 사회 관계망 서비스 (Social Network Service)를 제공하는 광고매체

단 「의료법」 제57조 제3항은 의료기관의 기본정보(의료기관의 명칭, 소재지, 전화번호, 진료과목, 의료인의 성명, 성별, 홈페이지주소 등)에 대한 광고는 사전심의대상의 예외로 보고 있습니다.

## Q. 홈페이지는 심의대상인가요?

「의료법 시행령」 제24조 제1항 제4호는 인터넷 매체 중 「정보통신망 이용촉진 및 정보보호 등에 관한 법률」에 따른 정보통신서비스 제공자가 운영하는 인터넷 매체만을 심의대상으로 규정하므로 의료기관의 홈페이지는 사전심의대상이 아닙니다.

그러나 「의료법」 제56조가 금지하고 있는 내용의 광고를 의료기관 홈페이지에 게재할 경우, 사전심의의무 위반이 아닌 「의료법」 제56조 위반이 됩니다.

## Q. 네이버 키워드 광고는 심의대상인가요?

「의료법 시행령」 제24조 제1항 제4호는 '전년도 말 기준 직전 3개월 간 일일 평균 이용자 수가 10만 명 이상인 자가 운영하는 인터넷 매체(애플리케이션 포함)'를 사전심의대상으로 정하고 있으므로, 네이버, 다음, 카카오톡 등의 매체에서 이루어지는 광고는 사전심의대상입니다.

## Q. 페이스북 광고는 심의대상인가요?

「의료법 시행령」 제24조 제2항은 '전년도 말 기준 직전 3개월 간 일일 평균 이용자 수가 10만 명 이상인 사회 관계망 서비스(Social Network Service)를 제공하는 광고매체'를 사전심의대상 매체로 규정하고 있고, 페이스북은 일일 평균 이용자 수(Daily Active User)가 10만 명 이상이므로 사전심의대상입니다.

## Q. 인스타그램 광고는 심의대상인가요?

페이스북의 경우와 마찬가지로 인스타그램 광고도 사전심의대상입니다.

## Q. 네이버 블로그 광고는 심의대상인가요?

「의료법 시행령」 제24조 제1항 제4호는 '전년도 말 기준 직전 3개월 간 일일 평균 이용자 수가 10만 명 이상인 자가 운영하는 인터넷 매체(애플리케이션 포함)'를 사전심의대상으로 정하고 있으므로, 대한의사협회 의료광고심의위원회 사전자율심의기준에 따르면 해당 정보통신서비스에서 운영하는 인터넷카페 및 블로그, SNS 등에서 행해지는 의료광고는 심의대상이라고 보고 있습니다.

그러나 의료기관이 홈페이지를 운영하는 대신에 해당 정보통신서비스에서 운영하는 블로그 페이지, 인스타그램 페이지를 운영하여 의료기관에 대한 정보(진료시간 등)를 제공하는 경우, 의료기관이 직접 운영하는 블로그 페이지 등의 성격이 의료기관이 운영하는 홈페이지와 사실상 동일하므로 의료기관이 운영하는 블로그 페이지 등은 사전심의대상이 아니라고 볼 여지가 존재합니다.

## Q. 의료서비스 애플리케이션 광고는 심의대상인가요?

「의료법 시행령」 제24조 제1항 제4호는 '전년도 말 기준 직전 3개월 간 일일 평균 이용자 수가 10만 명 이상인 자가 운영하는 인터넷 매체(애플리케이션 포함)'를 사전심의대상으로 정하고 있으므로, 해당 의료서비스 O2O 애플리케이션(굿닥, 바비톡 등)의 일일 평균 이용자 수가 10만 명 이상인 경우에 한하여 사전심의대상입니다.

## Q. 영화관 내 상영물은 심의대상인가요?

「의료법」 제57조 제1항 제2호에서 정한 사전심의대상매체는 옥외광고물 중 일부이므로, 옥내광고물은 심의대상이 아닙니다.

## Q. 아파트 건물 내 게시판에 게시된 전단게시물은 심의대상인가요?

「의료법」 제57조 제1항 제2호에서 정한 사전심의대상매체는 옥외광고물로서의 전단입니다. 따라서 문언 그대로 옥외광고물이 아닌 옥내광고는 사전심의대상이 아닙니다.

그러나 대한의사협회 의료광고심의위원회 사전자율심의기준(2019. 12. 26.자)에 따르면 보건복지부 유권해석에 따라 아파트 건물 내 게시판에 게시된 전단게시물을 사전심의대상으로 보고 있습니다.


## 2. 심의기관

구 「의료법」은 의료기관이 행정기관(보건복지부장관)의 심의를 받아야 하도록 규정하고 있었는데, 2015. 12. 23. 헌법재판소는 해당 규정이 사전검열금지원칙에 위배되어 위헌이라고 결정하였습니다. 그러자 2018. 3. 27. 시행된 「의료법」에서는 보건복지부가 아닌 보건복지부장관에게 신고한 자율심의기구가 심의 업무를 수행하도록 「의료법」을 개정하였습니다.

대표적인 자율심의기구로는 대한의사협회 의료광고심의위원회 등이 있습니다.

## 3. 심의기준

각 심의기관은 「의료법」 및 「의료법 시행령」 상 의료광고에 관한 규제를 근거로 심의기준을 마련하고 있습니다.

심의기관이 제공하는 심의기준은 「의료법」 상 의료광고 규제에 관한 심의기관의 자체적인 해석에 해당하므로, 사법부는 이에 전혀 구속되지 않고 심의기관이 제공하는 심의기준과 상반된 판단을 할 수 있습니다.

그러나 의료기관이 사전심의대상인 의료광고를 진행하고자 하는 경우, 심의기관에서 심의필을 주지 않는 경우에는 현실적으로 의료광고를 진행할 수 없는 어려움이 있습니다. 따라서 의료광고 실무자는 대한의사협회 의료광고심의위원회 등에서 마련한 사전자율심의기준을 참고하시어 의료광고심의를 준비하시는 것을 추천드립니다.

PART

성공하는 의사들의 의료법 지식
| 의 료 광 고 규 제 편 |

# 금지되는 의료광고 유형

## 1. 소비자 현혹 광고

> **「의료법」 제56조 제2항**
> 2. 환자에 관한 치료경험담 등 소비자로 하여금 치료 효과를 오인하게 할 우려가 있는 내용의 광고
>
> **「의료법 시행령」 제23조 제1항**
> 2. 특정 의료기관·의료인의 기능 또는 진료 방법이 질병 치료에 반드시 효과가 있다고 표현하거나 환자의 치료경험담이나 6개월 이하의 임상경력을 광고하는 것

「의료법」은 소비자를 현혹하는 의료광고를 금지하고 있습니다. 구체적으로 「의료법」은 '치료 효과를 보장하는 등 소비자를 현혹할 우려가 있는 내용의 광고'를 금지하고 있고, 같은 법 시행령은 '특정 의료기관·의료인의 기능 또는 진료 방법이 질병 치료에 반드시 효과가 있다고 표현하거나 환자의 치료경험담이나 6개월 이하의 임상경력을 광고하는 것'을 금지하고 있습니다.

「의료법」이 '허위·과장광고'를 금지하는 것과 별개로 '소비자 현혹 광고'를 금지하고 있는 취지는 '공익상의 요구 등에 의한 의료광고 규제의 필요성과 더불어 의료광고의 경우에는 그 표현내용의 진실성 여부와 상관없이 일정한 표현방식 내지 표현방법만으로도 의료서비스 소비자의 절박하고 간절한 심리상태에 편승하여 의료기관이나 치료방법의 선택에 관한 판단을 흐리게 하고 그것이 실제 국민들의 건강보호나 의료제도에 영향을 미칠 가능성이 매우 큰 점을 고려하여 일정한 표현방식 내지 표현방법에 의한 광고를 규제하겠다'는 것으로 보고 있습니다(대법원 2010. 3. 25. 선고 2009두21345 판결). 즉 의료광고의 표현방식 내지 표현방법이 의료소비자인 환자들의 합리적인 선택을 방해하였을 경우, 해당 의료광고를 한 의료인은 「의료법」 위반으로 처벌받을 가능성이 있습니다.

의료광고가 「의료법」상 금지되는 소비자 현혹 광고에 해당하는지 여부를 판단할 때에는, '표현방식과 치료효과 보장 등의 연관성, 표현방식 자체가 의료정보 제공에 있어서 불가피한 것인지 여부, 광고가 이루어진 매체의 성격과 그 제작·배포의 경위, 광고의 표현방식이 의료서비스 소비자의 판단에 미치는 영향 등을 종합적으로 고려하여 보통의 주의력을 가진 의료서비스 소비자가 당해 광고를 받아들이는 전체적·궁극적 인상을 기준으로 객관적으로 판단한다'라고 하고 있습니다(대법원 2010. 3. 25. 선고 2009두21345 판결).

의료인이 자신의 의료기관 인터넷 홈페이지에 임플란트 시술과 관련하여 "레이저를 이용하여 치아나 잇몸을 절삭, 절개하여 통증과 출혈이 거의 없습니다"라는 내용의 광고를 한 사례(대법원 2010. 3. 25. 선고 2009두21345 판결)

위 광고는 레이저 치료기에 의한 임플란트 시술이 다른 시술방법에 비해 부작용이 적다는 의료정보를 제공하는 측면이 있는 것으로 보일 뿐만 아니라, 그 표현방식 역시 치료기 제조사에서 만든 책자의 내용을 참고로 레이저 치료기에 의한 임플란트 시술의 장점을 의료서비스 소비자들에게 전달하는 차원에서 사용된 것임을 알 수 있는 점 등에 비추어, <u>위 광고가 곧바로 '치료효과를 보장하는 등 소비자를 현혹할 우려가 있는 내용의 광고'에 해당한다고 볼 수 없다</u>고 한 사례

미세지방주입술에 관하여 '부작용 걱정이 없음, 붓기와 멍이 거의 없음, 흉터 걱정이 없음'이라는 내용의 광고를 한 사례(헌법재판소 2013. 11. 28. 자 2011헌마652 결정)

미세지방주입술에 관한 '부작용 걱정이 없음, 붓기와 멍이 거의 없음, 흉터 걱정이 없음'이라는 설명은 흉터나 부작용, 멍 등이 전혀 없다는 취지는 아닌 것으로 보이고, 의학전문 자료에 나타난 미세지방주입술의 특징이나 장점을 그대로 설명한 것에 불과하여 실제로도 사실과 부합하는 취지의 의료광고라 할 것인데도 「의료법」 위반의 피의사실이 인정됨을 전제로 한 이 사건 기소유예처분에는 수사미진 및 법리오해의 잘못이 있다고 한 사례

소비자 현혹 광고에 해당한다고 보아 의료법 위반을 인정한 사례(서울중앙지방법원 2018. 12. 13. 선고 2017고단5306 판결)

광고 문구에 '실 리프팅, 효과 없으면 100% 환불제'라는 문구와 '10명 중 7~8명은 주위 가족들조차 당일 시술한 것을 눈치 못 챌 정도로 붓기나 멍이 거의 없습니다. 시술한 다음날부터 직장 등 일상생활을 하실 수 있습니다'라는 문구를 삽입하여 광고한 사례에서 「의료법」 위반을 인정한 사례

「의료법 시행령」은 환자의 치료경험담을 광고하는 것 자체를 소비자 현혹 광고라고 보아 금지하는 것으로 보여집니다. 그러나 치료경험담을 게재한 광고를 하여 형사처벌은 받은 사례에서 대법원은 위험성과 경험담의 구체적 내용을 고려하여 의료광고인 치료경험담이 소비자를 현혹하거나 국민건강에 중대한 위해를 발생하게 할 우려가 있는 경우에 「의료법」 위반이라고 판단한 바 있습니다(대법원 2013. 12. 12. 선고 2013도8032 판결).

## Q. 시술 또는 성형 리얼후기 게재가 소비자 현혹 광고인가요?[1)]

대한의사협회 의료광고심의위원회는 환자의 주관적 의견 기술은 왜곡된 정보를 제공할 가능성이 있으므로, 치료후기는 물론 시술(또는 성형)후기도 모두 소비자 현혹 광고로 보아, 후기 게재 광고를 허용하고 있지 않으므로 실무상 의료광고심의를 요하는 경우, 심의 통과가 어렵습니다.

그러나 대법원은 경험담의 구체적 내용을 고려하여 의료광고인 치료경험담이 소비자를 현혹하거나 국민건강에 중대한 위해를 발생하게 할 우려가 있는 경우에 「의료법」 위반이라고 판단한 바 있습니다.

> 의료인이 자신이 운영하는 병원에서 VBAC(Vaginal Birth After Cesarean, 제왕절개 후 자연분만, 이하 '브이백'이라 한다)시술을 받은 환자들이 병원 홈페이지에 그 성공소감을 게시하면 분만비를 할인해 주는 방법으로 의료광고를 한 사례(대법원 2013. 12. 12. 선고 2013도8032 판결)
>
> '치료'라는 표현이 좁은 의미의 질병에 대한 의료행위만을 의미하는 용어로 사용되고 있다고 보기 어려운 점, 일반적으로 출산을 앞둔 산모의 상태를 질병으로 분류하기 어렵다고 하더라도 미용성형이나 모발이식수술 등을 받는 사람과 달리 산모는 일반적인 상태에서 벗어난 비정상적인 건강상태에 있다고 할 수 있고, 특히 제왕절개 경험이 있는 산모가 자연분만을 시도하는 경우에는 그렇지 않은 경우에 비하여 산모나 태아의 생명, 신체에 위험을 초래할 가능성이 높아 전문 의료인에 의한 특별한 관리와 검사, 시술이 요구되는 점 등을 고려하면 그러한 상태에 있는 산모의 출산을 돕는 브이백시술은 치료에 해당하고, 그 경험담은 「의료법 시행령」 제23조 제1항 제2호에서 금지하는 '환자의 치료경험담'으로서 시술이 갖는 위험성과 경험담의 구체적 내용에 비추어볼 때, 소비자를 현혹하거나 국민건강에 중대한 위해를 발생하게 할 우려가 있는 의료광고에 해당한다고 한 사례

---

1) 미용 시술 또는 성형 리얼후기가 '치료경험담'에 해당하는지는 구체적 사안에 따라 미용 시술 또는 성형이 치료에 포섭되는지 여부를 살펴볼 필요가 있을 것으로 판단됩니다.

성형외과의 수술 후기만으로 소비자를 현혹할 수 있는 치료경험담에 해당한다고 보기 어렵다고 한 사례(부산지방법원 2013. 4. 5. 선고 2012노3588 판결)

위 각 수술 후기를 전체적으로 살펴보면 그 내용이 환자들의 수술 후 경과와 만족도 등에 관한 것으로서 주관적인 관점을 토대로 한 경험의 공유 또는 정보제공의 차원의 글로 보이는 점, 비록 피고인이 운영하는 성형외과를 긍정적으로 평가하는 내용이 포함되어 있기는 하나 이를 접하는 보통의 주의력을 가진 의료서비스 소비자로 하여금 오해를 불러일으킬 만한 내용이 포함되어 있지 아니한 것으로 보이고, 따라서 보통의 주의력을 가진 의료서비스 소비자라면 경우에 따라 위 각 수술 후기와는 다른 수술의 효과가 있을 수 있다고 충분히 알 수 있는 점 등에 비추어 보면, 이 사건 공소사실 기재 수술 후기들이 보통의 주의력을 가진 의료서비스 소비자로 하여금 오해를 불러일으키게 함으로써 소비자를 현혹할 수 있는 광고로서의 치료경험담에 해당한다고 보기는 어렵다. 따라서 이 사건 공소사실에 대하여 무죄를 선고한 원심의 판단은 정당하고 이를 탓하는 검사의 주장은 이유 없다고 한 사례

광고대행업체에 위탁하여 병원의 광고용으로 운영 중이던 네이버 인터넷 블로그에 병원에서 치료받은 환자들이 직접 작성한 치료 후기 3장을 스캔하여 게시하는 방법으로 광고를 한 사례에서 「의료법」 위법을 인정하였으나 선고유예 판결을 한 사례(수원지방법원 2018. 4. 4. 선고 2017고단8322 판결)

**소비자 현혹 광고에 해당한다고 본 사례(서울고등법원 2018. 9. 14. 선고 2018누40418 판결)**

지인 소개로 이 사건 의원에 왔었는데 정말 친절하고 좋았습니다. 눈이 나빠서 수술할 계획도 있었는데 병원에 와서 '여기서 해야겠다.'라고 결심하게 되더라고요. 수술받기 전에는 아프다는 소리를 들어서 굉장히 초조했는데 수술받고 나서 신세계를 경험하는 것 같았습니다. 수술하고 가장 좋은 점은 굉장히 잘 보인다는 것이고요. 불편한 것이 없어져서 좋았습니다. 너무 친절하시고 좋아요. 수술하고 나서 진통이 없어서 좋았습니다. 아플까 봐 걱정하셔서 수술을 못 하고 계신 분들한테 말해드리고 싶어요. 걱정하지 마세요.
라섹으로 유명해서 와서 접수하고 수술받는 순간까지 너무 맘 편하게 제공받았습니다. 라섹에 대한 두려움도 안내받고 싹 사라졌구요. 라섹 후에 세상을 보니 너무너무 편한 거 있죠! 이렇게 편할 수가 있나요???!!!!
수술을 고려하던 중 회사 제휴병원으로 신뢰가 돼서 오게 되었고, 주변 지인들도 수술결과에 다들 만족하고 있었으며 리뷰들도 보고 하니까 좋은 평들이 많이 있었습니다. 그래서 이 사건 의원에서의 수술 결정을 쉽게 할 수 있었습니다. 실제로 병원을 내원하여 상담을 받아보니 인터넷의 좋은 평처럼 깔끔하고 친절해서 너무 좋았습니다.
수술하는데 차가운 액체가 눈에 흘러들어오는 것 같았습니다. 수술 시 차가운 것 빼고는 어떤 고통도 없었습니다.
제 걱정과 달리 수술 후 회복속도도 매우 빠르고 시력 또한 잘 돌아왔답니다. 통증도 없고 아픔이 전혀 없어서 제가 병원에 따로 전화를 걸어 저 제대로 수술된 게 맞냐고 물어볼 정도였지요. 이게 다 내공이 튼튼하고 실력이 남다른 원장님 덕분인 것 같습니다.

**의료인이 우수경험담을 선정하거나 특정 환자나 유리한 경험담만을 게재시키거나 게재를 허용하는 방법으로 치료경험담을 자신이 운영하는 인터넷 홈페이지에 게시하면「의료법」 위반이나 입증이 부족하다고 본 사례(헌법재판소 2013. 11. 28. 자 2011헌마652 결정)**

이 사건에서 청구인이 우수경험담을 선정하는 등의 방법으로 환자들로 하여금 치료경험담을 작성하도록 독려하였거나 청구인에게 불리한 내용의 치료경험담은 삭제하고 유리한 치료경험담만을 게시하였는지가 확인되지 않는 점에서 청구인이 소비자를 현혹할 우려가 있는 치료경험담을 광고하였다고 보기에 부족하다고 한 사례

## Q. 전후사진 게재가 「의료법」이 금지하는 소비자 현혹 광고인가요?

전후사진 게재는 과거 대한의사협회 의료광고심의위원회에서 1. 환자동의서 제출, 2. 3개월 이상 경과 사진, 3. 동일 조건 사진임을 전제로 허용했으나, 2015. 8. 이후 소비자를 부당하게 현혹시킬 우려를 근거로 불허하고 있으므로, 의료심의 대상인 의료광고의 경우 의료심의가 통과되지 않아 전후사진을 게재하는 광고는 현실적으로 어렵습니다.

2019년 12월 26일자 대한의사협회 의료광고심의위원회 사전자율심사기준에 따르면, 시술 또는 수술의 전후 사진 게재는 금지되는 치료경험담으로 간주하여 허용되지 않으나, 시술 전 또는 시술 후 사진을 각각 단독으로 게재 시 단순 모델 이미지로 간주하여 허용하고 있습니다. 단 이 경우에도 내원환자(시술 또는 수술 받은 환자)임을 유추할 수 있는 경우에는 허용하지 않고 있습니다.

대한의사협회 의료광고심의위원회는 전후사진 게재를 금지되는 치료경험담으로 간주하고 있지만, 현행 「의료법」은 전후사진 게재 자체를 금지하고 있지 않고, 법원은 해당 의료광고의 표현방식 내지 표현방법이 의료소비자인 환자들의 합리적인 선택을 방해하였을 경우 「의료법」 위반으로 보고 있습니다.

## 의료광고 실무자를 위한 TIPS

1. 최상급 표현은 사용하지 마세요.
   예: '최고', "유일한', '최첨단', '선도자', '일인자', '가장 안전한'
2. 확률적으로 0% 및 100%의 의미를 내포한 단어를 사용하지 마세요.
   예: '부작용 없이', '통증 없이', '완치' 등
3. 단정적인 문구는 사용하지 마세요.
   예: '일주일이면 치료할 수 있다'
4. 수술 후 이미지를 게재하는 경우에도 이미지 보정은 절대 하지 마세요.
5. 질병에 대하여 과도하게 불안감, 공포감 등을 조성하는 문구를 사용할 경우 소비자를 현혹하는 행위로 간주될 수 있어요.
6. 의료와 관련 없는 인증이나 자격은 기재하지 마세요.
   예: '00방송국 탤런트 지정병원', '미인대회 심사위원'

## 2. 부작용 등 누락 광고

> **「의료법」 제56조 제2항**
> 7. 의료인등의 기능, 진료 방법과 관련하여 심각한 부작용 등 중요한 정보를 누락하는 광고
>
> **「의료법 시행령」 제23조 제1항**
> 7. 의료인등의 의료행위나 진료 방법 등을 광고하면서 예견할 수 있는 환자의 안전에 심각한 위해를 끼칠 우려가 있는 부작용 등 중요 정보를 빠뜨리거나 글씨 크기를 작게 하는 등의 방법으로 눈에 잘 띄지 않게 광고하는 것

「의료법」은 부작용 등 누락 광고를 금지하고 있습니다. 구체적으로 「의료법」은 '의료인등의 기능, 진료 방법과 관련하여 심각한 부작용 등 중요한 정보를 누락하는 광고'를 금지하고 있고, 같은 법 시행령은 '의료행위나 진료 방법 등을 광고하면서 예견할 수 있는 환자의 안전에 심각한 위해를 끼칠 우려가 있는 부작용 등 중요 정보를 빠뜨리거나 글씨 크기를 작게 하는 등의 방법으로 눈에 잘 띄지 않게 광고하는 것'을 금지하고 있습니다.

「의료법」이 부작용 등 누락 광고를 금지하는 이유는 환자와 의료인 간 정보 비대칭성을 해결하고, 환자의 자기결정권을 존중하기 위함이고, 의료인과 비교하여 상대적으로 의학적 지식이 부족한 환자가 수술 또는 시술로 인한 부작용 등을 충분히 인지하지 못한 채 그 수술 또는 시술을 받기로 결정하는 것을 방지하기 위함입니다.

그런데 「의료법」은 모든 부작용 등의 정보누락을 금지하는 것이 아니라 '심각한 부작용 및 중요한 정보'를 누락하는 것을 금지하고 있고, 「의료법 시행령」은 '심각한 부작용'을 '예견할 수 있는 환자의 안전에 심각한 위해를 끼칠 우려가 있는 부작용'이라고 설명하고 있으며 정보를 누락하는 것 외에도 부작용 등에 관한 글씨 크기를 작게 하는 방법도 금지하고 있습니다.

대한의사협회 의료광고심의위원회는 필러, 윤곽수술, 양악수술, 사지연장술, 초음파유도하 고강도초음파집속술의 경우 심각한 부작용이 있을 수 있다고 판단하여, 단순 소개에서도 부작용을 기술해야 한다고 보고 있습니다.

의료인이 게시물에 필러제(히알루론산)를 음경피하나 귀두피하에 주사하는 시술에 관하여 "절대안전", "부작용 없음", "무통"이라는 표현으로 광고한 사례(서울행정법원 2013. 4. 5. 선고 2012구합22669 판결)

'통증과 부작용의 발생'이라는 사실을 왜곡하여 '통증과 부작용의 미발생'으로 오인하게 할 정도의 과장된 표현임과 동시에 객관적으로 보아 시술방법이나 시술효과에 있어서 소비자들로 하여금 혼란을 야기하게 하여 이 사건 의료기관이나 시술방법을 선택하는 데에 영향을 미치는 정도에 이르렀다고 할 것이고, 필러제(히알루론산)를 음경피하나 귀두피하에 주사하는 시술이 생명을 좌우하는 정도로 약제에 의한 중대 부작용을 일으키지는 않는다고 하더라도, 붓거나, 가렵거나, 아프거나 하는 등으로 시술과 관련하여 원하지 않던 모든 현상을 부작용이라고 볼 수 있는 이상, '인체의 건강에 영향을 미칠 심각한 부작용은 없다'라고 표현하는 것이 더 정확하므로 부작용 등 누락 광고에 해당한다고 한 사례.

## Q. 보톡스 부작용을 기재해야 하나요?

보톡스의 경우 주사 부위가 아닌 다른 부위로 보툴리눔 독소가 이동하는 것을 확인하였다는 연구 결과가 있는 등 심각한 부작용 등을 초래할 수 있다는 견해가 있습니다. 이에 따라 통상적으로 수사기관 및 사법부에서도 보톡스 시술에 따른 심각한 부작용이 초래될 수 있다고 판단하는 것으로 보여집니다. 따라서 보톡스의 경우 대중화가 많이 이루어졌고, 간편하게 시술 받을 수 있어서 '쁘띠시술'의 간판 상품임에도 불구하고 예견할 수 있는 부작용을 기재하는 것을 추천드립니다.

## Q. 실명, 괴사가 필러의 부작용인가요?

필러 시술의 경우 혈관에 필러제가 투입될 경우 실명 또는 피부 괴사의 결과가 초래될 수 있습니다.

실무적으로 필러 시술 후 실명 또는 피부 괴사가 발생한 경우, 민사 손해배상청구에서는 의료인의 의료과실로 판단하고 있는 것으로 보입니다. 그러나 의료광고 영역에서는 실명 또는 피부 괴사를 심각한 부작용으로 판단하고 있는 것으로 보입니다. 따라서 비록 실명 또는 피부 괴사의 결과가 필러 자체의 부작용이 아니라 의료과오의 결과라고 주장할 여지가 있으나, 실무적으로는 실명 또는 피부 괴사를 필러의 부작용으로 보고 있는 것으로 보여집니다.

## 의료광고 실무자를 위한 **TIPs**

1. 시술에 대한 소개 및 방법, 장점 등을 표현할 때는 시술 후 발생할 수 있는 부작용을 적시해주세요.
2. 부작용 문구의 글자 크기는 본문글자 크기와 동일수준으로 적시해주세요.

## 3. 허위 · 과대광고

「의료법」 제56조 제2항
   3. 거짓된 내용을 표시하는 광고
   8. 객관적인 사실을 과장하는 내용의 광고

「의료법 시행령」 제23조 제1항
   3. 의료인, 의료기관, 의료서비스 및 의료 관련 각종 사항에 대하여 객관적인 사실과 다른 내용 등 거짓된 내용을 광고하는 것
   8. 의료인, 의료기관, 의료서비스 및 의료 관련 각종 사항에 대하여 객관적인 사실을 과장하는 내용으로 광고하는 것

　「의료법」은 허위·과대광고 또한 금지하고 있습니다. 구체적으로 「의료법」은 '거짓된 내용을 표시하는 광고' 및 '객관적인 사실을 과장하는 내용의 광고'를, 같은 법 시행령은 '의료인, 의료기관, 의료서비스 및 의료 관련 각종 사항에 대하여 객관적인 사실과 다른 내용 등 거짓된 내용을 광고하는 것' 및 '의료인, 의료기관, 의료서비스 및 의료 관련 각종 사항에 대하여 객관적인 사실을 과장하는 내용으로 광고하는 것'을 「의료법」 위반으로 규정하고 있습니다.

　의료광고가 객관적인 사실에 기인한 것으로서 의료소비자에게 해당 의료인의 의료기술이나 진료 방법을 과장 없이 알려주는 것이라면 이는 소비자의 합리적 선택에 도움을 주고 의료인들 사이에 공정한 경쟁을 촉진시켜 공익을 증진시킬 수 있으므로 허용되어야 할 것이지만, 의료행위가 사람의 생명·신체에 직접적이고 중대한 영향을 미치는 것임에 비추어 객관적 사실이 아니거나 근거가 없는 또는 현대의학상 안정성 및 유효성이 과학적으로 검증되지 않은 내용을 기재하여 의료서비스 소비자에게 막연하거나 헛된 의학적 기대를 갖게 하는 광고는 일반공중의 위험을 초래할 수도 있기 때문에 금지되는 것입니다(대법원 2010. 5. 27. 선고 2006도9083 판결 참조).

여기서 '거짓이나 과장된 내용의 광고'란, 단순히 사실에 조금이라도 어긋나거나 부풀려졌다고 바로 이에 해당된다고 볼 수는 없고, '진실이 아니거나 실제보다 지나치게 부풀려진 내용을 담고 있어 의료지식이 부족한 일반인으로 하여금 오인·혼동하게 할 염려가 있는 광고'를 의미합니다(헌법재판소 2013. 12. 26.자 2011헌마651 결정).

소비자(환자)로 하여금 사실을 잘못 알게 할 우려가 있는지는 보통의 주의력을 가진 일반 소비자(환자)가 당해 광고를 받아들이는 전체적이고 결과적인 느낌과 인상을 기준으로 하여 객관적으로 판단하는데(울산지방법원 2006. 8. 2. 선고 2006구합471 판결), 그 용어의 일반적인 사용례에 비추어 일반인이 통상적으로 어떤 의미로 받아들이는지, 그 용어의 사용 자체로 일반인에게 오인·혼동을 줄 우려가 있는지, 그 용어의 사용만으로 오인·혼동의 우려가 없더라도 해당 광고에 담긴 구체적인 사실 등의 내용과 관련지어 볼 때 일반인에게 오인·혼동을 초래할 우려가 있는지 등의 여러 사정을 종합적으로 고려하게 됩니다(헌법재판소 2009. 12. 29.자 2008헌마593 전원재판부 결정 참조).

추상적인 용어를 사용하였다는 사정만으로 곧바로 일반인의 오인·혼동을 초래할 우려가 높아 허위 또는 과대광고라고 볼 수 없다고 본 사례(헌법재판소 2009. 12. 29.자 2008헌마593 전원재판부 결정)

위 법원은 '추상적인 용어를 사용한 의료광고의 경우에는 그와 같은 용어를 사용하였다는 사정만으로 곧바로 일반인의 오인·혼동을 초래할 우려가 높다고 단정할 수 없고, 그 추상적인 용어의 일반적인 사용례에 비추어 일반인이 그 용어를 통상적으로 어떤 의미로 받아들이는지, 그 용어의 사용 자체로 일반인에게 오인·혼동을 줄 우려가 있는지, 그 용어의 사용만으로 오인·혼동의 우려가 없더라도 해당 광고에 담긴 구체적인 사실 등의 내용과 관련지어 볼 때 일반인에게 오인·혼동을 초래할 우려가 있는지 등의 여러 사정을 종합적으로 살펴 과장광고에 해당하는지를 가리는 것'이 상당하다는 전제 하에서, 이 사건 광고가 과장된 의료광고에 해당하지 아니한다는 판단을 하였다.

위 법원은 그 판단의 근거로서, ① 이 사건 배너에서 사용된 '세계가 인정한'이라는 용어는 구체적인 사실을 적시한 것이라기보다는 주관적 평가를 필요로 하는 '추상적인 용어'에 해당하고, 이는 통상적으로 제품의 품질, 기술, 성능 등이 매우 훌륭한 수준임을 표현하기 위하여 일상적인 상거래에서 자주 사용되는 용어에 해당하는 점, ② 한편으로 위 배너에서 '세계가 인정한'이라는 용어는 문맥상 '시술병원'을 수식한다기보다는 'straumann implant(iti)'를 직접적으로 꾸미는 용어로 보이는 점, ③ 따라서 위 광고를 접하는 일반인들로서는 위 광고가 '스트라우만이 제조한 임플란트 제품'이 '세계적으로 판매되는 제품들과 비교할 때 상당히 훌륭한 수준'이고, '원고가 운영하는 삼성치과의원은 이러한 제품을 사용하는 병원'임을 광고한다고 인식할 것으로 보일 뿐, 원고가 운영하는 삼성치과의원이 곧바로 '세계가 인정한 시술병원'이라고 받아들일 가능성은 거의 없다고 보이는 점, ④ 즉 이 사건 배너는 스트라우만 한국지사가 자사 제품의 홍보를 주된 목적으로 하여 대량 제작하여 자사 제품을 사용하는 병원에 일괄적으로 배포·설치한 입식 판촉물로서, 설치된 해당 병원의 명칭, 주소, 연락처, 의료진 등의 구체적인 정보가 기재되어 있지 아니하고, 나아가 원고의 의료업무 또는 의료인의 경력에 관한 구체적인 사실도 전혀 나타나지 않는 점, ⑤ 결국 이 사건 배너는 원고가 고객의 유인을 주된 목적으로 설치한 것이라기보다는 원고가 운영하는 병원에서 사용하는 임플란트 제품을 소비자에게 알려 주기 위하여 설치된 것으로서, 이는 고객에 대한 정보 제공의 차원에서 원고의 진료 방법을 과장함이 없이 알려주는 광고로 봄이 상당한 점, ⑥ 나아가 이 사건 배너에 표시된 '시술병원'은 스트라우만 한국지사가 배너를 제작하면서 선택한 용어로서, 이는 '병자를 진찰, 치료하는 데 필요한 설비를 갖추어 놓은 곳'으로서 의료기관을 총칭하는 용어로 보일 뿐, 해당 의료기관의 규모를 의도적으로 과장하기 위하여 사용한 용어로 해석할 수 없는 점 등을 판결이유에서 적시하였다.

이러한 판결 이유는 타당하다고 할 것이고, 따라서 피청구인이 이 사건 광고로 인하여 일반인들이 청구인을 세계적인 치과의사로, 청구인의 치과의원을 세계적인 치과의원으로 오인·혼동할 우려가 있다고 본 것은 객관적으로 자의적인 판단에 해당한다고 할 것이다.

수술법의 특징이나 장점을 구체적으로 설명하고 있을 뿐이라는 이유로 허위 과대광고가 아니라고 본 사례(헌법재판소 2013. 12. 26.자 2011헌마651 결정)

「의료법」 제56조 제3항은 "의료법인·의료기관 또는 의료인은 거짓이나 과장된 내용의 의료광고를 하지 못한다."고 규정하고 있는바, 여기서 '거짓이나 과장된 내용의 의료광고'는 '진실이 아니거나 실제보다 지나치게 부풀려진 내용을 담고 있어 의료지식이 부족한 일반인으로 하여금 오인·혼동하게 할 염려가 있는 광고'를 의미한다.

먼저 이 사건 제2광고 중 '**흉터 없는 앞트임**'부분에 관하여 본다. 청구인은 이 사건 제2광고를 게재하면서 청구인이 시술하는 앞트임 수술법을 구체적으로 설명하고 있는데, 대한성형외과학회 눈성형연구회, 미국 성형외과의 협회(American Society of Plastic Surgeons)에 발표된 각 논문에 의하면, 청구인이 시술하는 것과 같은 방법의 앞트임 수술법은 몽고주름 밴드가 위치하는 피부에 흉을 남기지 않을 수 있고, 흉터 자체를 눈에 잘 띄지 않는 곳에 위치하게 하는 한편, 흉터 발생 가능성을 줄일 수 있는 적절한 수술방법으로 소개되고 있다. 청구인은 앞트임 수술법을 설명한 다음 문단에 '수술 후 경과'를 설명하면서 "2달 이상 지나면 흉터가 거의 보이지 않게 됩니다."라고 게시하였다. 위와 같은 점 등을 종합하여 보면, '흉터없는 앞트임'부분은 흉터의 발생 가능성을 줄이며, 흉터 자체를 눈에 잘 띄지 않는 곳에 위치하게 하는 청구인의 수술법을 그대로 설명한 것에 불과하다.

다음으로 이 사건 제2광고 중 앞트임과 뒤트임 후 "**재발과 흉터의 염려는 이제 윤곽에서는 하지 않으셔도 됩니다.**"는 부분에 관하여 보면, 이는 앞서 본 바와 같은 앞트임 수술법은 그 장점을 강조한 것이고, 뒤트임 수술법도 흉터가 경미하여 이를 인식할 수 없을 정도의 시술이 가능함을 표현한 것에 불과하여 진실이 아니거나 실제보다 부풀려진 내용을 담고 있다고 보기 어렵다.

마지막으로 이 사건 제2광고 중 '**무통 수면마취**'라 함은 국소마취 시에 프로포폴을 정맥주사하여 수면 상태를 유도한 후 국소마취를 해주기 때문에 실제로 통증을 느끼지 못하고, 수술 중 공포감 없이 수술을 받을 수 있다는 점을 소개한 것으로서, 이와 같은 마취법을 표현하기 위하여 일상적인 의료광고에서 자주 사용되는 용어에 해당한다.

따라서 이 사건 제2광고는 청구인의 수술법의 특징이나 장점을 구체적으로 설명하고, 수면마취를 통해 통증을 느끼지 않도록 하는 마취법을 제공한다는 점을 설명한 것에 불과하므로, 진실이 아니거나 실제보다 지나치게 부풀려진 내용을 담고 있어 의료지식이 부족한 일반인으로 하여금 오인·혼동하게 할 염려가 있는 의료광고라고 할 수 없다.

'정형외과, 신경외과 병원 원장, 전문의'라고 표시한 것은 정형외과 신경외과 양과의 전문의인 것처럼 오인 혼동을 일으키게 할 염려가 있으므로 허위 과대광고라고 본 사례(대법원 1983. 4. 12. 선고 82누408 판결)

경력과 진료 방법에 관하여 「의료법 시행규칙」 제33조가 정한 바에 따르지 아니한 유인물을 인쇄하여 배부하는 방법에 의하여 광고를 하였고 그 기재에 「의료법」 소정의 병원이 아닌 의원을 병원으로 기재하고, 진료과목인 신경외과와 전문과목인 정형외과를 따로 표시하지 아니하고 "정형외과, 신경외과 병원 원장, 전문의" 라고 표시하여 마치 정형외과와 신경외과 양과의 전문의인 것처럼 오인 혼동을 일으키게 할 수 있는 기재를 하였다면 이러한 광고는 허위과대 광고에 해당하여 「의료법」 제46조 제1항, 제3항의 규정에 위반함이 명백하다.

성형외과 전문의가 아님에도 의원의 홈페이지에 'OO성형외과'라고 표시하고, '현 OO대학교 의과대학 외래교수, OO학회 회원 등'이라고 게시함으로써 일반인으로 하여금 성형외과 전문의 자격 등을 가지고 있는 것으로 오인할 수 있다고 보아 의료인의 자격, 경력에 관한 거짓의 의료광고에 해당한다고 한 사례(수원지방법원 2020. 1. 9. 선고 2019구합66102 판결).

'국내 최고 수준'이라는 문구의 경우, 최신의 의료기기로 최선의 의료서비스를 제공한다는 의미로 받아들여질 뿐, 전국의 모든 병원보다 뛰어나 국내 제일의 병원이라고 오인하게 하거나 혼동을 일으킬 염려가 있다고 보기는 어렵다고 본 사례(울산지방법원 2006. 8. 2. 선고 2006구합471 판결)

1. 구 「의료법」 제46조 제1항 에서 말하는 "과대한 광고"는, 고도의 전문적 지식과 기술을 요하는 의료영역에서 의료업무 또는 의료인의 경력에 관하여 사실을 지나치게 부풀려 광고함으로써 소비자(환자)로 하여금 그 내용을 잘못 알게 할 우려가 있는 광고행위로서, 소비자(환자)에게 정당화되지 않은 의학적 기대를 유발하거나 의료업무 또는 의료인의 경력에 관하여 오인 또는 혼동을 일으킬 염려가 있어 국민의 건강과 건전한 의료경쟁질서를 해할 우려가 있는 광고를 말하고, 소비자(환자)로 하여금 사실을 잘못 알게 할 우려가 있는지는 보통의 주의력을 가진 일반 소비자(환자)가 당해 광고를 받아들이는 전체적이고 결과적인 느낌과 인상을 기준으로 하여 객관적으로 판단하여야 한다.

2. 일반적으로 의료기관의 수준은 소속 의료인의 능력, 최신 의료기술의 습득과 활용 및 첨단의료기기의 설치 가동 여부와 그 수준, 의료기관의 규모 등에 의하여 결정된다 할 것인데, 원고는 1992. 3.경부터 국립 □□대학교 의과대학 신경외과 교수로 재직하다가 2001. 8. 30.경 ○○병원을 개원하였고, 위 병원은 지하 2층, 지상 6층 규모의 입원실 36실과 병상 128개를 갖춘 병원으로, 현재 의사 7명, 간호사 약 30명이 신경외과, 정형외과, 내과, 마취통증의학과, 진단방사선과를 각 진료과목으로 하여 자기공명영상촬영기, 최신 컴퓨터단층촬영기, 적외선전신체열촬영기, 초음파골다공증검사기, 미세수술 현미경, 신경전도 및 근전도 검사기기 등 질병의 진단과 치료를 위한 최신 의료기기를 보유하여 의료행위를 수행하고 있으므로, 원고가 10여 년간 국립 □□대학교 의과대학 신경외과 교수로 재직하면서 전문분야인 척추수술 분야 등에 있어 상당한 정도의 임상경험과 이로 인한 관련 지식을 축적하였을 것으로 보이고, 질병의 진단과 치료에 필요한 고가의 의료기기와 장비를 보유하고 있는 점 등을 종합하여 보면, 척추수술 부문 등 몇 개의 전문분야에 관한 위 병원의 의료수준이 상당한 수준에 이르렀다고 볼 여지가 있을 뿐만 아니라, 위 광고내용, 그 중 특히 문제된 "국내 최고 수준"이라는 부분에 관하여도 광고의 전후 문안과 지역여건 등에 비추어 보통의 주의력을 가진 일반 소비자(환자)라면, 그 정도의 문구만으로 최신의 의료기기로 최선의 의료서비스를 제공한다는 사정을 넘어, ○○병원이 전국의 모든 병원보다 뛰어난 국내 제일의 병원이라고 오인하게 하거나 혼동을 일으킬 염려가 있다고 보기는 어렵다고 할 것이다.

'국내 최초', '국내 최상품', '대표적' 등의 문구의 경우, 이를 객관적으로 조사하거나 그에 관한 결정기준을 마련하기 곤란하고 이에 대한 명확한 근거도 제시된 바도 없으므로, 일반인으로 하여금 오인·혼동하게 할 염려가 있는 광고로서 '허위 또는 과대한 광고'라고 본 사례(대법원 2009. 2. 26. 선고 2006도9311 판결)

원심이 적법하게 채택한 증거에 의하면, 피고인 1이 그가 운영하는 (명칭 생략)한의원의 인터넷 홈페이지에 "국내 최초 양·한방 협진의원 개설, 국내 최상품 청정한약재 처방, (명칭 생략)children's clinic, (명칭 생략)한의원은 아이질병을 소아과가 아닌 한의원에서 치료할 수 있다는 인식을 최초로 심어 준 대표적 소아전문 한의원입니다"라고 게재한 사실을 알 수 있는바, 이를 앞서 본 법리에 비추어 살펴보면, 위 광고에 포함된 '국내 최초', '국내 최상품', '대표적' 등의 문구는 이를 객관적으로 조사하거나 그에 관한 결정기준을 마련하기 곤란하여 그 자체로 진실에 반하거나 실제보다 과장된 것으로 보일 뿐 아니라 위 피고인 스스로도 명확한 근거를 제시한 바 없으므로, 위 광고는 일반인으로 하여금 오인·혼동하게 할 염려가 있는 광고로서 구 「의료법」 제46조 제1항이 정하는 '허위 또는 과대한 광고'에 해당한다.

시행령 조항에 열거된 사항 중 할인 전 금액, 할인대상 및 최대수술비용이 기재되어 있지 않다는 이유만으로는 거짓이나 과장된 내용의 광고라고 볼 수 없다고 본 사례(2018. 9. 20. 서울행정법원 2018구합54026 판결)

---

**확장이전 기념 라식·라섹 할인 EVENT**

80만원부터

이벤트기간: 2017년 3월 2일 ~ 3월 31일

확장이전기념 ★ 특별 혜택 ★

병원이전 소식 페이지에 좋아요 클릭 및 공유하기 하면 3가지 혜택이 따라온다!

01 수술전 정밀검사 혜택 +02 아벨리노 DNA검사 혜택 + 03 안구건조증 검사 혜택

---

A에 대한 불기소이유에 의하면 이 사건 광고에 거짓이나 과장된 내용은 없다는 것이므로, 이 사건 병원에서 실제로는 80만 원에 라식/라섹 수술을 받을 수 없었다거나, 80만 원이라는 가격이 전혀 할인된 가격이 아님에도 '할인이벤트'라고 기재한 것은 아니라고 보인다. 행정처분의 적법성은 행정청이 입증하여야 하는데, 피고는 '이 사건 광고에는 이 사건 시행령조항에 열거된 사항 중 할인 전 금액, 할인대상 및 이 사건 병원에서의 최대수술비용이 기재되어 있지 않다'는 이유만으로 이 사건 처분을 하였을 뿐, 이 사건 광고가 소비자들을 어떤 내용으로 속이거나 오인하도록 할 우려가 있는지에 관하여 아무런 주장·입증을 하지 아니하였다.

## 의료광고 실무자를 위한 **TIPs**

1. 전문의 표시를 할 때에는 전문과목과 함께 병기하세요.
2. 현행 법률상 인정되지 않은 분야의 전문의 명칭 및 세부전문의, 인정의의 명칭을 전문의라는 단어 앞에 붙여 사용할 수 없어요.
   예: 소아정신과 전문의(X), 정신과 전문의(O), 미국수면전문의(X), 내시경전문의(X → 내과전문의), 수부외과 전문의(X → 외과전문의), 순환기내과 전문의(X → 내과전문의)
3. 6개월 이하의 임상경력은 광고할 수 없어요.
4. 환자동의서를 허위로 작성 제출하면 안 돼요.

## 4. 비급여 진료비용 할인 · 면제 광고

「의료법」 제56조 제2항
13. 소비자를 속이거나 소비자로 하여금 잘못 알게 할 우려가 있는 방법으로 제45조에 따른 비급여 진료비용을 할인하거나 면제하는 내용의 광고

「의료법 시행령」 제23조 제1항
13. 법 제45조에 따른 비급여 진료비용의 할인·면제 금액, 대상, 기간이나 범위 또는 할인·면제 이전의 비급여 진료비용에 대하여 허위 또는 불명확한 내용이나 정보 등을 게재하여 광고하는 것

「의료법」은 비급여 진료비용을 할인·면제하는 내용의 광고를 금지하고 있습니다. 의료기관마다 비급여 진료비용을 다르게 적용하고 있어 소비자가 광고를 통해 할인 정보(금액, 범위, 할인율, 할인 이전 비용 등)의 적정성을 쉽게 판단하기 어렵기 때문입니다.

그러나 모든 비급여 진료비용의 할인·면제 광고가 금지되는 것은 아니고, 소비자를 속이거나 소비자로 하여금 잘못 알게 할 우려가 있는 방법으로 하는 광고가 금지대상입니다.

소비자를 속이거나 소비자로 하여금 잘못 알게 할 우려가 있는 방법에 대하여,「의료법 시행령」은 '비급여 진료비용의 할인·면제 금액, 대상, 기간이나 범위 또는 할인·면제 이전의 비급여 진료비용에 대하여 허위 또는 불명확한 내용이나 정보 등을 게재하여 광고하는 것'을 규정하고 있습니다.

위 시행령 조항에 대하여 판례는, 새로운 구성요건적 금지행위를 창설하는 금지규정이 아니라 「의료법」에서 규정하는 구성요건적 금지행위를 보완하는 보충적인 규정으로 보아 해석하여야 하므로, 어떠한 의료광고가 시행령조항에서 판단기준으로 들고 있는 항목을 모두 포함하고 있지 않다는 이유만으로 그 광고가 「의료법」 및 「의료법 시행령」을 위반하였다고 볼 수는 없고, 해당 광고에 게재된 허위 또는 불명확한 내용이나 정보가 '소비자를 속이거나 소비자로 하여금 잘못 알게 할 우려가 있는 방법'에 해당하는 경우에만, 이에 위반되는 것으로 보아야 한다고 판단하고 있습니다 (서울행정법원 2018. 9. 20. 선고 2018구합54026 판결 참조).

그리고 대법원은, 어떠한 광고가 '소비자를 속이거나 소비자로 하여금 잘못 알게 할 우려가 있는 방법으로 진료비용을 할인하거나 면제하는 내용의 광고'에 해당하는 것인지를 판단할 때에는, 표현방식과 제공되는 비용할인·면제에 관한 정보와의 연관성, 광고가 이루어진 매체의 성격과 그 제작·배포의 경위, 광고의 표현방식이 의료서비스 소비자의 판단에 미치는 영향 등을 종합적으로 고려하여 보통의 주의력을 가진 의료서비스 소비자가 당해 광고를 받아들이는 전체적·궁극적 인상을 기준으로 객관적으로 판단하여야 한다고 판시하고 있습니다(대법원 2010. 3. 25. 선고 2009두21345 판결 참조).

따라서, '최저 수술비용'이라는 최소한의 정보만을 제공한다고 하더라도 언제나 이를 '오인의 우려가 있는 불명확한 부분'이라고 간주하는 것은 타당하지 아니하고, 종전의 가격을 명시하지 않은 것만으로 소비자들이 할인 전의 진료비용이나 할인의 정도에 관하여 오인할 여지가 있다고 보기는 어렵습니다.

이와 반대로, 일부의 수술만을 할인대상으로 하면서도 해당 병원의 모든 수술이 할인대상인 것처럼 광고하거나, 일부의 수술에 관하여만 높은 할인율을 적용하면서 모든 수술에 높은 할인율이 적용되는 것처럼 오인하게 하는 경우에는, 이에 해당될 가능성이 높다고 판단됩니다.

의료광고에 최대금액이 기재되어 있지 않고, 할인 전 금액이나 할인대상도 명확하지 않다는 이유로 업무정지 15일 처분을 갈음하는 과징금의 부과처분에 대하여, 그 의료광고가 소비자를 속이거나 소비자로 하여금 잘못 알게 할 우려가 없다고 본 사례(서울행정법원 2018. 9. 20. 선고 2018구합54026 판결)

### 2) 이 사건 법조항 및 시행령조항의 해석

「의료법」 제56조 제2항 가운데 이 사건 법조항에 해당하는 제13호의 경우 '소비자를 속이거나 소비자로 하여금 잘못 알게 할 우려가 있는 방법으로 제45조에 따른 비급여 진료비용을 할인하거나 면제하는 내용의 광고'를 금지하는 내용으로서 2016. 5. 29. 법률 제14220호로 개정되어 9개월 후인 2017. 3. 1.부터 시행되었다. 그리고 「의료법」 제56조 제5항의 위임에 따라 이 사건 법조항에서 금지되는 의료광고의 구체적인 기준을 규정하기 위하여 2017. 2. 28. 대통령령 제27917호로 신설되어 2017. 3. 1.부터 시행된 이 사건 시행령조항은 '법 제45조에 따른 비급여 진료비용의 할인·면제 금액, 대상, 기간이나 범위 또는 할인·면제 금액, 대상, 기간이나 범위 또는 할인·면제 이전의 비급여 진료비용에 대하여 허위 또는 불명확한 내용이나 정보 등을 게재하여 광고하는 것'이라고 규정하고 있는데, 그 개정이유에 의하면, 이는 '소비자를 속이는 방법으로 비급여 진료비용의 할인·면제에 관한 광고를 금지하도록 하는 내용으로 「의료법」이 개정됨에 따라 비급여 진료비용의 할인·면제에 대한 의료광고의 기준을 정하는 등 법률에서 위임된 사항과 그 시행에 필요한 사항을 정하기 위한 규정'이다.

즉 이 사건 시행령조항은 새로운 구성요건적 금지행위를 창설하는 금지규정이 아니라, 이 사건 법률조항에서 규정하는 구성요건적 금지행위를 보완하는 보충적인 규정으로 보아 해석하여야 한다. 따라서 어떠한 의료광고가 이 사건 시행령조항에서 판단기준으로 들고 있는 항목을 모두 포함하고 있지 않다는 이유만으로 그 광고가 이 사건 법조항 및 시행령조항에 위반된다고 할 수는 없고, 해당 광고에 게재된 허위 또는 불명확한 내용이나 정보가 '소비자를 속이거나 소비자로 하여금 잘못 알게 할 우려가 있는 방법'에 해당하는 경우에만, 이 사건 법조항 및 시행령조항에 위배된다고 보아야 한다.

### 3) 이 사건 광고가 '소비자를 속이거나 소비자로 하여금 잘못 알게 할 우려가 있는 방법'의 광고에 해당하는지 여부

어떠한 광고가 '소비자를 속이거나 소비자로 하여금 잘못 알게 할 우려가 있는 방법으로 진료비용을 할인하거나 면제하는 내용의 광고'에 해당하는 것인지를 판단할 때에는, 표현방식과 제공되는 비용할인·면제에 관한 정보와의 연관성, 광고가 이루어진 매체의 성격과 그 제작·배포의 경위, 광고의 표현방식이 의료서비스 소비자의 판단에 미치는 영향 등을 종합적으로 고려하여 보통의 주의력을 가진 의료서비스 소비자가 당해 광고를 받아들이는 전체적·궁극적 인상을 기준으로 객관적으로 판단하여야 한다(대법원 2010. 3. 25. 선고 2009두21345 판결의 취지 참조).

앞서 든 법리와 판단기준에 위 인정사실 및 변론 전체의 취지를 비추어 알 수 있는 다음과 같은 사정들을 종합하여 보면, 이 사건 광고에는 이 사건 시행령조항에서 판단기준으로 제시하고 있는 항목들 중 일부항목에 관한 기재가 포함되어 있지 아니하나, 그로 인하여 소비자를 속이거나 소비자로 하여금 잘못 알게 할 우려가 있다고 할 수는 없으므로, 이 사건 광고가 이 사건 법조항 및 이 사건 시행령조항을 위반한 경우라고 볼 수 없다. 이 사건 처분은 위법하고, 원고의 주장은 이유 있다.

① 이 사건 광고의 내용은 '이벤트 기간 중에 이 사건 병원에서 라식·라섹 수술을 받을 수 있는 최저금액은 80만 원'이라는 것으로서 매우 단순하고, "80만원부터"라고 기재된 부분의 글씨크기는 "80" 부분이 가장 크고, "만원부터" 부분은 그 옆에 균일한 크기로 기재되어 있어서, 위 기재 부분을 '라식/라섹 수술이 무조건 80만 원'이라는 등의 다른 의미로 오인할 여지가 없다. 라식·라섹 수술에도 여러 종류가 있고, 그 종류에 따라 가격대가 다양하다는 사실은 널리 알려져 있으므로, 수술비가 "80만 원부터"라고 하면 의료소비자들은 자연스럽게 이를 가장 저렴한 종류의 수술비로 받아들이고, 다른 종류의 수술은 더 비싼 비용일 것으로 예상할 수 있다.

② 원고가 이 사건 광고에 최저 수술비용만을 명시함에 따라 의료소비자들로서 이 사건 병원에서 최저가의 수술보다 더 비싼 종류의 수술을 할 경우 지급해야 할 비용은 얼마인지 및 원고가 광고한 최저 수술비 80만 원이 할인 전에는 얼마였는지, 그 할인율을 짐작할 수 없기는 하다. 그러나 이 사건 광고처럼 '최저 수술비용'이라는 최소한의 정보만을 제공할 경우, 당연히 할인 전 금액과의 차이, 높은 할인율 등을 명시하는 광고에 비하여 그 광고효과도 적을 수밖에 없는데, 그럼에도 불구하고 원고가 스스로 그러한 광고형식을 선택하였다고 하여, 그와 같이 '미기재'한 부분을 언제나 '오인의 우려가 있는 불명확한 부분'이라고 간주하는 것은 타당하지 아니하다. 특히 비급여 진료비용의 경우 공산품과 같이 일률적인 정가가 존재하는 것이 아니므로, '정가'와 비교한 가격보다는 '수술을 받는데 실제로 드는 가격'을 정확하게 제시하는 것이 더 중요하다고 볼 수도 있다.

③ 이 사건 시행령조항에서 '소비자를 기망하거나 오인하도록 하는 방법'에 해당하는지 여부를 판단하는 기준으로 '할인 이전의 비급여 진료비용에 관한 허위 또는 불명확한 내용'을 들고 있는 것은, 할인 전의 진료비용을 실제보다 높았던 것으로 기재하거나, 실제보다 높았던 것으로 인식되게 하는 등의 방법으로 소비자가 사실과 달리 자신이 많은 할인을 받는 것으로 오인하도록 하는 경우를 염두에 둔 것으로 보이고, 단순히 종전의 가격을 명시하지 않은 것만으로는 소비자들이 할인 전의 진료비용이나 할인의 정도에 관하여 오인할 여지가 없다. 이 사건 시행령조항에서 할인·면제 금액, 할인대상, 범위 등을 판단기준으로 들고 있는 것도 실제로는 일부의 수술만을 할인대상으로 하면서도 해당 병원의 모든 수술이 할인대상인 것처럼 광고하거나, 일부의 수술에 관하여만 높은 할인율을 적용하면서도 모든 수술에 높은 할인율이 적용되는 것처럼 오인하게 하여 소비자를 유인하는 경우를 방지하기 위한 취지로 볼 수 있고, 이와 달리 이 사건 시행령조항에서 들고 있는 사항들을 '필수기재요소'로 삼아, 이를 표시하지 않은 광고를 하는 경우 언제나 행정처분 및 형사처벌의 대상으로 삼기 위하여 이 사건 시행령조항이 신설된 것은 아니라고 보인다.

## Q. 구환 대상으로 할인 광고 문자를 보내면 「의료법」 위반인가요?

구환만을 대상으로 한다고 하더라도 비급여 진료비용의 할인·면제 광고에 해당하는지 여부에 대한 판단 자체가 달라지는 것은 아닙니다.

따라서, 표현방식과 제공되는 비용할인·면제에 관한 정보와의 연관성, 광고가 이루어진 매체의 성격과 그 제작·배포의 경위, 광고의 표현방식이 의료서비스 소비자의 판단에 미치는 영향 등을 종합적으로 고려하여 보통의 주의력을 가진 의료서비스 소비자가 당해 광고를 받아들이는 전체적·궁극적 인상을 기준으로 객관적으로 판단할 때, 소비자를 속이거나 소비자로 하여금 잘못 알게 할 우려가 있는지에 따라 「의료법」 위반이 될 수도 있습니다.

### 의료광고 실무자를 위한 TIPs

1. 할인 전의 진료비용을 실제보다 높았던 것으로 기재하거나, 실제보다 높았던 것으로 인식되도록 해서는 안 돼요.
2. 실제로는 일부의 수술만을 할인대상으로 하면서도 병원의 모든 수술이 할인대상인 것처럼 광고해서는 안 돼요.
3. 일부의 수술에 관하여만 높은 할인율을 적용하면서도 모든 수술에 높은 할인율이 적용되는 것처럼 오인하도록 해서는 안 돼요.

# 5. 상장 등 사용 광고

「의료법」 제56조 제2항

14. 각종 상장·감사장 등을 이용하는 광고 또는 인증·보증·추천을 받았다는 내용을 사용하거나 이와 유사한 내용을 표현하는 광고. 다만, 다음 각 목의 어느 하나에 해당하는 경우는 제외한다.

　가. 제58조에 따른 의료기관 인증을 표시한 광고

　나. 『정부조직법』 제2조부터 제4조까지의 규정에 따른 중앙행정기관·특별지방행정기관 및 그 부속기관, 『지방자치법』 제2조에 따른 지방자치단체 또는 『공공기관의 운영에 관한 법률』 제4조에 따른 공공기관으로부터 받은 인증·보증을 표시한 광고

　다. 다른 법령에 따라 받은 인증·보증을 표시한 광고

　라. 세계보건기구와 협력을 맺은 국제평가기구로부터 받은 인증을 표시한 광고 등 대통령령으로 정하는 광고

「의료법 시행령」 제23조 제1항 및 제2항

14. 각종 상장·감사장 등을 이용하여 광고하는 것 또는 인증·보증·추천을 받았다는 내용을 사용하거나 이와 유사한 내용을 표현하여 광고하는 것. 다만, 법 제56조 제2항 제14호 각 목의 어느 하나에 해당하는 경우는 제외한다.

② 법 제56조 제2항 제14호 라목에서 "세계보건기구와 협력을 맺은 국제평가기구로부터 받은 인증을 표시한 광고 등 대통령령으로 정하는 광고"란 다음 각 호의 어느 하나에 해당하는 광고를 말한다.

1. 세계보건기구와 협력을 맺은 국제평가기구로부터 받은 인증을 표시한 광고

2. 국제의료질관리학회(The International Society for Quality in Health Care)로부터 인증을 받은 각국의 인증기구의 인증을 표시한 광고

　「의료법」은 2018. 3. 27. 자 일부개정을 통해 '각종 상장·감사장 등을 이용하는 광고 또는 인증·보증·추천을 받았다는 내용을 사용하거나 이와 유사한 내용을 표현하는 광고'를 금지하고 있습니다. 이는 의료소비자인 환자들의 합리적인 선택을 보장하기 위하여 소비자의 판단에 부정적 영향을 미칠 수 있는 유형을 미리 정해 금지하고자 하는 것입니다.

　특히 제약회사 또는 의료기기업체가 의료인에게 상장 및 감사장을 전달하는 경우가 많은데, 이러한 수상경력 및 감사장 경력을 광고하는 것은 법문상 당연히 금지됩니다.

　상장 등 사용광고 금지규정은 추상적인 개념을 포함하는 '소비자 현혹 광고', '과대광고' 등과 달리 해석의 여지가 적습니다. 따라서 「의료법」에서 금지하고 있는 상장·감사장 및 인증·보증·추천의

사실을 광고에 사용하면 그 자체로 법 위반에 해당하고, 이를 변호할 수 있는 여지가 적으니 의료기관 마케팅 담당자 및 의료인은 특별히 유의해야 할 규정입니다.

## Q. 감사패 등을 원내에 게시하는 것이 「의료법」 위반인가요?

대법원은 "'의료광고'란 의료법인·의료기관 또는 의료인이 그 업무 및 기능, 경력, 시설, 진료방법 등 의료기술과 의료행위 등에 관한 정보를 신문·인터넷신문, 정기간행물, 방송, 전기통신 등의 매체나 수단을 이용하여 널리 알리는 행위를 의미한다고 하면서, 유리액자 형태의 약력서를 의원 내에만 게시한 행위는 의료광고에 해당한다고 보기 어렵다고 한 바 있습니다(대법원 2016. 6. 23. 선고 2014도16577 판결).

그러나 「의료법」 은 2018. 3. 27. 일부개정을 통해 제56조 제1항에서 '의료광고'에 관한 정의 규정을 포함시켰고, 상장 등의 사용 광고 금지규정도 포함하였습니다.

그런데 「의료법」 은 '의료광고'를 '신문·잡지·음성·음향·영상·인터넷·인쇄물·간판, 그 밖의 방법에 의하여 의료행위, 의료기관 및 의료인등에 대한 정보를 소비자에게 나타내거나 알리는 행위'라고 정의하여 기존 2016년도에 선고된 대법원에서 정의된 의료광고의 정의를 거의 그대로 인용하였으나, 단 '널리'부분을 삭제하였습니다.

그렇다면 과거 대법원 판례는 원내 약력서 게시를 전파가능성이 상대적으로 낮다는 이유로 의료광고로 보지 않았지만, 개정된 「의료법」 은 단순히 알리는 행위만으로 광고에 해당한다고 볼 가능성이 있습니다.

따라서 보수적인 시각에서 판단할 때 개정된 「의료법」 하에서는 원내 감사패 게시도 의료광고에 해당한다고 판단할 가능성이 있습니다.

## Q. 제약회사가 자문단으로 선정한 사실을 광고하는 것이 「의료법」 위반인가요?

제약회사 또는 의료기기업체가 의료인에게 자격을 부여하는 경우, 가령 의료기기업체가 의료인을 자문단 또는 키닥터로 선정한 경우 제약회사 또는 의료기기업체는 「의료법」 이 예외로 허용하는 기관에 해당하지 않으므로, 이러한 사실을 광고하는 것은 인증·보증·추천을 받았다는 내용과 유사한 내용을 표현하여 광고하는 것에 해당할 가능성이 높다고 판단됩니다.

따라서 보수적인 시각에서 판단할 때 제약회사가 자문단으로 선정한 사실 또는 의료기기업체가 키닥터로 임명한 사실 등은 광고하지 않는 것을 추천드립니다.

## 의료광고 실무자를 위한 **TIPs**

1. 의료와 무관하거나 환자 유인의 소지가 있는 문구는 기재하지 마세요.
   예: 'OO신문 선정 우수의료기관', '소비자 인증'
2. 상장·감사패 등을 원내에 게시하는 것도 금지되는 의료광고에 해당된다고 볼 가능성이 있으니, 유의하셔야 합니다.

## 6. 기사형 광고

「의료법」 제56조 제2항
10. 신문, 방송, 잡지 등을 이용하여 기사 또는 전문가의 의견 형태로 표현되는 광고

「의료법 시행령」 제23조 제1항
10. 특정 의료기관·의료인의 기능 또는 진료 방법에 관한 기사나 전문가의 의견을 「신문 등의 진흥에 관한 법률」 제2조에 따른 신문·인터넷신문 또는 「잡지 등 정기간행물의 진흥에 관한 법률」에 따른 정기간행물이나 「방송법」 제2조제1호에 따른 방송에 싣거나 방송하면서 특정 의료기관·의료인의 연락처나 약도 등의 정보도 함께 싣거나 방송하여 광고하는 것

「의료법」은 신문·방송·잡지 등을 이용하여 기사 또는 전문가의 의견 형태로 표현되는 광고, 즉 의료기관·의료인이 의료인의 기능 또는 진료 방법에 관한 광고를 기사나 전문가의 의견 형태로 신문·방송·잡지에 게재하는 것을 금지하고 있습니다. 이는 의료소비자가 신문, 방송, 잡지에 게재된 기사 또는 전문가의 의견을 전문성과 객관성을 갖춘 정보로 인식하므로, 의료인이 기사 또는 전문가 의견의 형태로 광고를 하여 의료소비자의 합리적인 선택에 혼란을 주지 않도록 하기 위하여 규정된 것입니다.

대한의사협회 의료광고심의위원회는 「의료법」 제56조 제2항의 '기사'를 '해당 언론사 또는 출판사에 소속된 기자가 쓴 글'로 정의하고 있습니다.

## Q. 언론사로부터 전문가 의견을 요청 받은 경우 어떻게 해야 하나요?

순수한 기사나 전문가의 의견은 의료광고가 아니므로 심의대상에 해당되지 않으나, 기사 또는 전문가의 의견에 해당하는 글에 의료기관 명칭, 약도, 홈페이지 주소 등을 함께 게재하였을 경우 「의료법」이 금지하는 기사형 광고에 해당될 가능성이 있습니다.

## Q. 기사성 광고나 칼럼형 광고가 「의료법」 위반인가요?

최근 언론사 등 매체는 그 형식은 기사이나 내용이 의료광고에 해당하는 '기사성 광고'를 통해 의료광고를 유치하고 있습니다.

그러나 형식이 기사에 해당하는 경우에도, 그 내용이 광고에 해당하는 경우, 해당 광고는 「의료법」이 금지하는 기사형 광고에 해당할 가능성이 있습니다. 무엇보다도 의료인의 기능 또는 진료 방법에 관하여 기사를 게재하기 위하여, 금전적 대가를 의료인이 지불하였다면 이는 금지되는 기사형 광고에 해당할 가능성이 높다고 판단됩니다.

### 의료광고 실무자를 위한 **TIPs**

1. 의료 전문가로서 신문 등에 칼럼 등을 기고하는 경우에도, 가급적이면 의료기관 명칭, 홈페이지 주소, 약도, 전화번호 등을 게재하지 마세요.
2. 형식이 기사와 같은 텍스트 위주로 구성된 의료광고물에는 해당 게시물이 광고임을 알 수 있도록 '광고'문구를 표시해주세요.
3. 의료광고를 기사나 전문가의 의견으로 오인할 수 있도록 하는 문구를 사용하지 마세요.
   예: '도움말', '닥터칼럼'

# 7. 신의료기술에 관한 광고

「의료법」제53조(신의료기술의 평가)
① 보건복지부장관은 국민건강을 보호하고 의료기술의 발전을 촉진하기 위하여 대통령령으로 정하는 바에 따라 제54조에 따른 신의료기술평가위원회의 심의를 거쳐 신의료기술의 안정성·유효성 등에 관한 평가(이하 "신의료기술평가"라 한다)를 하여야 한다.
② 제1항에 따른 신의료기술은 새로 개발된 의료기술로서 보건복지부장관이 안전성·유효성을 평가할 필요성이 있다고 인정하는 것을 말한다.
③ 보건복지부장관은 신의료기술평가의 결과를 「국민건강보험법」제64조에 따른 건강보험심사평가원의 장에게 알려야 한다. 이 경우 신의료기술평가의 결과를 보건복지부령으로 정하는 바에 따라 공표할 수 있다.
④ 그 밖에 신의료기술평가의 대상 및 절차 등에 필요한 사항은 보건복지부령으로 정한다.

「의료법」제56조 제2항
1. 제53조에 따른 평가를 받지 아니한 신의료기술에 관한 광고

「의료법 시행령」제23조 제1항
1. 법 제53조에 따른 신의료기술평가를 받지 아니한 신의료기술에 관하여 광고하는 것

부칙〈법률 제8366호, 2007. 4. 11.〉
제14조(요양급여비용 내역에 포함된 의료행위 등에 관한 경과조치) 법률 제8067호 「의료법」 일부개정법률 시행일인 2007년 4월 28일 당시 「국민건강보험법」제42조제4항에 따라 보건복지부장관이 고시한 요양급여비용으로 정한 내역에 포함된 의료행위(비급여 의료행위를 포함한다)에 대하여는 제53조의 개정규정에 따라 신의료기술평가를 받은 것으로 본다.

「의료법」은 신의료기술평가를 받지 않은 의료기술에 관한 광고를 금지하고 있습니다.

「의료법」제53조 제1항은 '보건복지부장관은 국민건강을 보호하고 의료기술의 발전을 촉진하기 위하여 대통령령으로 정하는 바에 따라 제54조에 따른 신의료기술평가위원회의 심의를 거쳐 신의료기술의 안정성·유효성 등에 관한 평가(이하 '신의료기술평가'라 한다)를 하여야 한다'라고 규정하고 있고, 「의료법」제53조 제2항은 '제1항에 따른 신의료기술은 새로 개발된 의료기술로서 보건복지부장관이 안전성·유효성을 평가할 필요성이 있다고 인정하는 것을 말한다'라고 규정하여, 신의료기술평가를 받을 수 있는 대상이 되기 위한 요건 및 사전심사 절차를 정하고 있습니다.

이에 따르면, 보건복지부장관이 신의료기술평가의 필요성이 있다고 인정하였으나 신의료기술평가위원회로부터 안정성·유효성을 인정받지 못하여 신의료기술로 평가를 받지 못한 신의료기술

과 보건복지부장관이 신의료기술평가의 필요성을 부정하거나 그 여부에 관하여 판단하지 아니하여 신의료기술평가위원회의 신의료기술평가 대상이 되지 못한 신의료기술 모두 '제53조에 따른 평가를 받지 아니한 신의료기술'로서 광고가 금지되는 것입니다.

한편, 「의료법」 부칙<법률 제8366호, 2007. 4. 11.> 제14조는 "법률 제8067호 「의료법」 일부개정법률 시행일인 2007년 4월 28일 당시 「국민건강보험법」 제42조 제4항에 따라 보건복지부장관이 고시한 요양급여비용으로 정한 내역에 포함된 의료행위(비급여 의료행위를 포함한다)에 대하여는 제53조의 개정규정에 따라 신의료기술평가를 받은 것으로 본다."고 규정하고 있는데, 그 당시 보건복지부장관이 고시한 요양급여비용으로 정한 내역에 포함된 의료행위(비급여 의료행위를 포함)의 경우, 의학적 전문지식을 기초로 하는 경험과 기능에 터잡아 이루어지는 것으로서 의학적인 안정성·유효성을 갖춘 것으로 볼 수 있다고 보았기 때문입니다.

PRF(Platelet Rich Fibrin, 혈소판 풍부 피브린) 기술이 치과의 보철로서 치과 임플란트를 목적으로 실시한 부가수술에 해당하므로 「의료법」 부칙(2007. 4. 11. 법률 제8366호) 제14조에 의하여 신의료기술평가를 받은 것으로 의제되어야 한다는 주장에 대하여, 관계법령의 명문규정을 임의적으로 확대하여 해석·적용하기는 곤란하며, 치과의 보철에 임플란트의 부가수술이 당연히 포함된다고 볼 수 없으므로, 미평가 신의료기술광고에 대하여 유죄를 선고한 원심의 판단이 정당한 것으로 본 사례

서울동부지방법원 2018. 6. 15. 선고 2017고정1102 판결(1심)

라. 이 사건 의료기술이 임플란트의 부가수술로서 2007. 4. 28. 이전부터 시행되던 비급여 의료행위에 해당하여 「의료법」 부칙(2007. 4. 11. 법률 제8366호) 제14조에 의하여 신의료기술평가를 받은 것으로 의제되는지 여부에 관하여

위 관계법령에 의하면, 「의료법」 부칙(2007. 4. 11. 법률 제8366호) 제14조는 '2007. 4. 28. 당시 보건복지부장관이 고시한 요양급여비용으로 정한 내역에 포함된 의료행위(비급여 의료행위를 포함한다)에 대하여는 제53조의 개정규정에 따라 신의료기술평가를 받은 것으로 본다'고 규정하고 있고, 2007. 4. 28. 당시 시행 중이던 구 「국민건강보험 요양급여의 기준에 관한 규칙」(2008. 3. 3. 보건복지부가족부령 제1호로 개정되기 전의 것) [별표 2] 4.의 바.항은 '치과의 보철(보철재료 및 기공료 등 포함)'만을 규정하고 있을 뿐, '치과 임플란트를 목적으로 실시한 부가수술(골이식수술 등을 포함한다)'은 규정하고 있지 않았음을 알 수 있는 바, 치과 임플란트를 목적으로 실시한 부가수술이 2007. 4. 28. 당시 보건복지부장관이 고시한 요양급여비용으로 정한 내역에 포함된 의료행위(비급여 의료행위를 포함한다)임을 전제로 한 피고인 및 변호인의 이 부분 신의료기술평가 의제 주장 또한 받아들일 수 없다(피고인은 '치과의 보철' 항목에 임플란트를 목적으로 실시한 부가수술도 포괄적으로 포섭이 되는 것이라고 주장하나, 관계법령의 명문규정을 임의적으로 피고인의 주장과 같이 확대하여 해석·적용하기는 곤란하다).

**서울동부지방법원 2018. 9. 14. 선고 2018노850 판결(항소심)**

2007. 4. 28. 당시 시행 중이던 '구 국민건강보험 요양급여의 기준에 관한 규칙'[별표 2]는 "치과의 보철(보철재료 및 기공료 등 포함)"을 비급여대상 중 하나로 규정하고 있었고, 위 별표는 2012. 6. 29. 위 규칙이 보건복지부령 제130호로 개정되면서 "75세 이상의 완전틀니[레진을 재료로 한 것만 해당한다]를 제외한 치과의 보철(보철재료 및 기공료 포함)"로 개정되었다가, 2014. 7. 1. 위 규칙이 보건복지부령 제244호로 개정되면서 "치과의 보철(보철재료 및 기공료 등을 포함한다) 및 치과임플란트 목적으로 실시한 부가수술(골이식수술 등을 포함한다). 다만, 보건복지부장관이 정하여 고시하는 75세 이상 노인의 틀니 및 치과임플란트는 제외한다."로 개정되었는데, 위 별표의 개정 연혁, 사용된 용어 및 배열 형식 등에 비추어 보면, 2007. 4. 28. 당시 시행 중이던 '구 국민건강보험 요양급여의 기준에 관한 규칙' [별표2]가 규정한 "치과의 보철(보철재료 및 기공료 등 포함)"에 "치과임플란트를 목적으로 실시한 부가수술"이 당연히 포함되는 것으로 볼 수 없다 할 것인바, 원심의 위와 같은 판단을 기록과 대조하여 면밀히 살펴보면 원심의 판단은 정당한 것으로 수긍이 되므로, 원심판결에 피고인 주장과 같이 사실을 오인하고 법리를 오해함으로써 판결에 영향을 미친 위법이 있다고 할 수 없다.

한 개의 코그실을 사용하여 V자 모양으로 주입하는 방식으로 피부를 부드럽고 가볍게 당겨 탄력있고 탱탱하게 만드는 JJ리프팅의 경우 기존의 컨투어 리프팅과 비교할 때 신의료기술이라고 보기 부족하다고 보아, 이 부분에 대해서는 무죄를 선고한 사례(서울중앙지방법원 2018. 12. 13. 선고 2017고단5306 판결)

2. 판단

가. 관련 법리

「의료법」 제56조 제2항 제1호는 '제53조에 따른 평가를 받지 아니한 신의료기술'에 관한 광고를 하지 못하도록 규정하고 있다.

「의료법」 제53조 제1항은 '보건복지부장관은 국민건강을 보호하고 의료기술의 발전을 촉진하기 위하여 대통령령으로 정하는 바에 따라 제54조에 따른 신의료기술평가위원회의 심의를 거쳐 신의료기술의 안정성·유효성 등에 관한 평가(이하 '신의료기술평가'라 한다)를 하여야 한다'라고 규정하고 있고, 「의료법」 제53조 제2항은 '제1항에 따른 신의료기술은 새로 개발된 의료기술로서 보건복지부장관이 안정성·유효성을 평가할 필요성이 있다고 인정하는 것을 말한다'라고 규정하고 있다. 위 규정들 사이의 관계 및 그 문언에 비추어 보면 「의료법」 제53조 제2항은 신의료기술을 일반적으로 정의하는 규정이 아니라, 신의료기술로서 「의료법」 제53조 제1항에서 규정한 신의료기술평가위원회 신의료기술평가를 받을 수 있는 대상이 되기 위한 요건 내지 사전심사 절차를 정한 것으로 보인다.

따라서 「의료법」 제56조 제2항 제1호에서 규정한 '제53조에 따른 평가'는 문언 그대로 제53조에서 정한 평가, 즉 '새로 개발된 의료기술에 대하여 보건복지부장관이 신의료기술평가 필요성이 있다고 인정하여 신의료기술평가위원회 심의를 거친 신의료기술평가'를 말하며, 그 신의료기술평가를 받지 아니한 새로 개발된 의료기술, 즉 보건복지부장관은 신의료기술평가 필요성이 있다고 인정하였으나 신의료기술평가위원회로부터 안정성·유효성을 인정받지 못하여 신의료기술로 평가를 받지 못한 새로 개발된 의료기술과 보건복지부장관이 신의료기술평가의 필요성을 부정하거나 그 여부에 관하여 판단하지 아니하여 신의료기술평가위원회의 신의료기술평가 필요성을 부정하거나 그 여부에 관하여 판단하지 아니하여 신의료기술평가위원회의 신의료기술평가 대상이 되지 못한 새로 개발된 의료기술은 모두 '제53조에 따른 평가를 받지 아니한 신의료기술'로서 광고가 금지된다고 해석된다.

의료기술은 의료인이 하는 의료행위로서의 의료·조산·간호 등을 말하는데, 의료행위는 의학적 전문지식을 기초로 하는 경험과 기능으로 진료, 검안, 처방, 투약 또는 외과적 시술을 시행하여 하는 질병의 예방 또는 치료행위 및 그 밖에 의료인이 행하지 아니하면 보건위생상 위해가 생길 우려가 있는 행위를 의미하므로, 그 의료행위로서 이루어지는 의료기술 역시 의학적 전문지식을 기초로 하는 경험과 기능에 터잡아 이루어져야 한다. 따라서 의료기술인 이상 의학적인 안정성·유효성을 갖출 필요가 있고, 이에 따라 구 「의료법」 (2007. 4. 11. 법률 제8366호) 부칙 제14조에 의하여 구 「의료법」 (2006. 10. 27. 법률 제8067호) 시행일인 2007. 4. 28. 당시 「국민건강보험법」 제42조 제4항에 따라 보건복지부장관이 고시한 요양급여비용으로 정한 내역에 포함된 의료행위(비급여 의료행위를 포함한다)에 대하여는 법 제53조의 개정규정에 따라 신의료기술평가를 받은 것으로 보아 그 안정성·유효성을 갖춘 것으로 처우하는 한편, 위 의료행위와 동일하거나 유사하지 아니하여 기존 의료기술에서 벗어나며 아직 그 안전성·유효성에 관한 검증이 이루어지지 아니한 새로 개발된 의료기술은 그에 관한 평가를 받을 필요가 있으므로 법 제53조에서 신의료기술평가에 관한 절차를 둔 것이며, 이러한 절차를 거치지 아니하여 안정성·유효성이 확인되지 아니한 새로운 의료기술 모두에 대하여 광고를 금지한다고 위와 같이 해석하는 것이 법 제56조의 입법취지에 부합한다(대법원 2012. 9. 13. 선고 2011도8694 판결 참조).

**나. 이 사건에 관한 판단**

이에 대하여 피고인은 '기존의 컨투어 리프팅은 두 가닥의 코그실을 두피를 통해 삽입해 실의 작은 돌기를 이용하여 피부를 부드럽고 가볍게 당겨 탄력 있고 탱탱하게 만드는 것인데, 피고인이 시술하는 JJ리프팅은 한 개의 코그실을 사용하여 V자 모양으로 주입하는 방식으로, 원리는 같지만 테크닉의 변화를 살짝 준 것에 불과하고, 이미 한국에서 성형외과 전문의 외에도 피부과, 산부인과, 외과, 가정의학과 등 거의 전 과목의 의사들이 10여 년 간, 수십만 건 이상 시술해온 리프팅 방식으로, 기존의 컨투어 리프팅과 비교할 때 사용목적 및 사용부위가 동일하며, 시술 방식에 있어서 다소 차이가 있더라도 그 원리는 거의 동일하다'고 주장하는 바, 피고인이 게재한 광고 문구의 표현 자체가 신의료기술에 관한 광고라고 단정하기도 어려울 뿐만 아니라, 검사가 제출하는 증거들을 모두 종합하여도, 피고인이 이 사건 JJ리프팅 시술이 기존의 리프팅 의료기술에서 벗어나 아직 그 안정성·유효성에 관한 검증이 이루어지지 아니한 새로 개발된 의료기술에 해당한다고 인정하기에 부족하고, 달리 이를 인정할 만한 증거가 없다.

의료광고 실무자를 위한 **TIPs**

1. 새로운 재료·기구 등을 진료에 적용하여 시·수술을 하는 경우 신의료기술평가위원회로부터 신의료기술의 인증을 받는 것이 안전해요.
2. 신의료기술로 허가된 것이라도 보다 심층적인 의학적 판단이 요구되는 경우 학회의 검증 절차를 거쳐야 해요.

## 8. 비교·비방하는 내용의 광고

「**의료법**」 제56조 제2항
　4. 다른 의료인등의 기능 또는 진료 방법과 비교하는 내용의 광고
　5. 다른 의료인등을 비방하는 내용의 광고

「**의료법 시행령**」 제23조 제1항
　4. 특정 의료기관 개설자, 의료기관의 장 또는 의료인(이하 "의료인등"이라 한다)이 수행하거나 광고하는 기능 또는 진료 방법이 다른 의료인등의 것과 비교하여 우수하거나 효과가 있다는 내용으로 광고하는 것
　5. 다른 의료인등을 비방할 목적으로 해당 의료인등이 수행하거나 광고하는 기능 또는 진료 방법에 관하여 불리한 사실을 광고하는 것

　「의료법」은 다른 의료인등의 기능 또는 진료 방법과 비교하거나 비방하는 내용의 광고를 금지하고 있습니다.

　「의료법」 제56조 제2항 제4호는 의료인등은 다른 의료인등의 기능 또는 진료 방법과 비교하는 내용의 광고를 하지 못한다고 규정하고 있고, 같은 법 시행령 제23조 제1항 제4호는 비교하는 태양의 예로 다른 의료인등의 것과 비교하여 우수하거나 효과가 있다는 내용으로 광고하는 것을 들고 있습니다.

　의료광고에 관한 이러한 규제는 의료인이 다른 의료기관이나 의료인의 기능 또는 진료 방법을 비교하는 내용의 광고를 통하여 국민을 기만하거나, 국민으로 하여금 의료인의 기능 또는 진료 방법을 오인하게 할 우려를 방지함으로써 국민의 건강보호와 의료시장의 공정성을 보장하기 위한 것으로 이해할 수 있습니다(헌법재판소 2013. 12. 26. 선고 2011 헌마 651 결정 참조).

그리고 이러한 「의료법」의 규정 취지와 내용에 비추어 보면, 「의료법」 제56조 제2항 제4호에서 '다른 의료인등'이라 함은 '기능 또는 진료 방법을 비교할 수 있는 구체적인 범위 내의 의료인등'을 의미하는 것으로 제한하여 해석하여야 하고, 의료인등 일반에 대한 막연한 비교를 금지하는 것까지 포함한다고 보기는 어렵습니다.

마찬가지로 「의료법」 제56조 제2항 제5호는 다른 의료인등을 비방하는 내용의 광고를 하지 못한다고 규정하고 있고, 같은 법 시행령 제23조 제1항 제5호는 비방하는 태양의 예로 다른 의료인등이 수행하거나 광고하는 기능 또는 진료 방법에 관하여 불리한 사실을 광고하는 것을 들고 있습니다.

---

**'건성안에 대한 특수 진단 장비를 갖추고 대학병원에서도 할 수 없는 마이봄샘 진단과 치료관리를 할 수 있다', '이 사건 의원에서 진료를 받은 환자들의 수술통계를 해외논문 참조 병원의 수술통계'와 비교하는 광고에 대하여, 구 「의료법」 제56조 제2항 제3호를 위반한 것으로 볼 수 없다고 한 사례(서울고등법원 2018. 9. 14. 선고 2018누40418 판결)**

가. 구 「의료법」(2015, 12, 22, 법률 제13599호로 개정되기 전의 것, 이하 같다) 제56조 제2항 제3호 위반 여부

1) 피고의 주장 요지

원고는 서울 성동구 B건물, 7층에서 C안과의원(이하 '이 사건 의원'이라 한다)을 운영하면서, '건성안에 대한 특수 진단 장비를 갖추고 대학병원에서도 할 수 없는 마이봄샘 진단과 치료관리를 할 수 있다.'라는 문구를 사용하였고, '이 사건 의원에서 진료를 받은 환자들의 수술통계를 해외논문 참조 병원의 수술통계'와 비교하는 광고를 하였는데, 이는 다른 의료기관이나 의료인의 기능 또는 진료 방법과 비교하는 내용의 광고에 해당한다. 따라서 원고는 '다른 의료기관·의료인의 기능 또는 진료 방법과 비교하는 내용의 광고'를 하여 구 「의료법」 제56조 제2항 제3호를 위반하였다.

2) 판단

가) 관련 규정 및 법리

(1) 구 「의료법」 제56조 제2항 제3호는 '다른 의료기관·의료인의 기능 또는 진료 방법과 비교하는 내용의 광고'를 금지하고, 구 「의료법」 제56조 제5항의 위임에 따른 구 「의료법 시행령」(2017, 2, 28, 대통령령 제27917호로 개정되기 전의 것, 이하 같다) 제23조 제1항 제3호는 '특정 의료기관·의료인의 기능 또는 진료 방법이 다른 의료기관이나 의료인의 것과 비교하여 우수하거나 효과가 있다는 내용으로 광고하는 것'을 금지하고 있다.

(2) 의료광고에 관한 이러한 규제는 의료인이 다른 의료기관이나 의료인의 기능 또는 진료 방법을 비교하는 내용의 광고를 통하여 국민을 기만하거나, 국민으로 하여금 의료인의 기능 또는 진료 방법을 오인하게 할 위험을 방지함으로써 국민의 건강보호와 의료시장의 공정성을 보장하기 위한 것으로 이해할 수 있다(헌법재판소 2013, 12, 26, 선고 2011 헌마 651 결정 참조),

(3) 이러한 「의료법」의 규정 취지와 내용에 비추어 보면, 구 「의료법」 제56조 제2항 제3호에서 '다른 의료기관이나 의료인'이라 함은 '기능 또는 진료 방법을 비교할 수 있는 구체적인 범위 내의 의료기관이나 의료인'을 의미하는 것으로 제한하여 해석하여야 하고, 의료기관 또는 의료인 일반에 대한 막연한 비교를 금지하는 것까지 포함한다고 볼 수 없다.

나) 구체적 판단

위 관련 규정의 의미와 법리를 바탕으로 이 사건 사실관계에 변론 전체의 취지를 종합하여 알 수 있는 다음과 같은 사정들을 고려하면, 원고가 '대학병원에서도 할 수 없는'이라는 문구를 사용하였고, '이 사건 의원의 수술통계를 해외논문 참조병원의 수술통계'와 비교하여 광고한 것이 구 「의료법」 제56조 제2항 제3호를 위반하였다고 볼 수 없다.

즉, ① '대학병원'은 다양한 진료과목을 갖추고 각 진료과목마다 교수 자격을 갖춘 우수한 전문의가 전속하여 있는 의과대학 또는 의학전문대학원에 부속된 병원으로 볼 수는 있으나, 의료 소비자인 국민에게는 일반적으로 우수한 의료기관을 의미하는 명칭으로 받아들여지고 있으므로, '대학병원'이라는 표현이 기능 또는 진료 방법을 비교할 수 있는 구체적인 범위 내의 의료기관을 지칭한 것으로 보기는 어렵다.

② 나아가 '대학병원에서도 할 수 없는 마이봄샘 진단과 치료관리를 할 수 있다.'라는 표현은, 원고가 마이봄샘 진단과 치료를 할 수 있는 의료장비를 갖추고 있음을 강조하기 위한 것으로 보이고, 의료 소비자인 국민이 '대학병원'에서 건성안에 대한 진단과 치료를 할 수 없다고 오인할 가능성도 크다고 할 수 없다.

③ 원고는 영문 제목의 4편의 해외논문을 제시하고, '논문 참조 병원 수술결과'와 'C안과 수술결과'로 구분하여 양자의 수술 후 시력, 재수술 빈도, 수술 후 감염, 수술 후 안구건조증 등을 비교하는 표를 이 사건 홈페이지에 게시하였을 뿐이다. 원고가 인용한 해외논문의 참조 병원은 구체적으로 드러나지 않았을 뿐만 아니라 그 표현된 내용만으로 기능 또는 진료 방법을 비교할 수 있는 구체적인 범위 내의 의료기관을 짐작하기도 어렵다.

3) 소결

따라서 원고는 구 「의료법」 제56조 제2항 제3호를 위반하였다고 볼 수 없다.

**의료광고 실무자를 위한 TIPs**

1. 의료 직역 간 비교광고(양·한방 상호 비교)는 원천적으로 금지돼요.
2. 특정 직역의 시술방법 등의 부작용을 부각시키면서, 자신의 직역의 시술방법 등이 우수하다고 표현해서는 안 돼요.
3. 의료기관 간 비급여 진료비용을 비교해서는 안 돼요.
4. 자신이 행하는 여러 시술방법 중 특정한 시술방법을 다른 시술방법과 비교하는 것은 허용돼요.
5. 특정진료과목에 대하여 비전문의에게 진료받을 시 부작용 등 위험할 수 있다는 내용의 광고는 명백한 비방광고로 보아요(다만, '전문의와 상의하세요' 정도는 가능해요).
6. 'OO없이'의 표현은 시·수술방법에 대한 비교적 표현으로 허용되지 않아요.

## 9. 직접적인 시술행위를 노출하는 내용의 광고

**「의료법」 제56조 제2항**
　6. 수술 장면 등 직접적인 시술행위를 노출하는 내용의 광고

**「의료법 시행령」 제23조 제1항**
　6. 의료인이 환자를 수술하는 장면이나 환자의 환부 등을 촬영한 동영상·사진으로서 일반인에게 혐오감을 일으키는 것을 게재하여 광고하는 것

「의료법」은 직접적인 시술행위를 노출하는 내용의 광고를 금지하고 있습니다.

「의료법」 제56조 제2항 제6호는 의료인등은 수술 장면 등 직접적인 시술행위를 노출하는 내용의 광고를 하지 못한다고 규정하고 있고, 같은 법 시행령 제23조 제1항 제6호는 그 구체적인 기준으로 의료인이 환자를 수술하는 장면이나 환자의 환부 등을 촬영한 동영상·사진으로서 일반인에게 혐오감을 일으키는 것을 게재하여 광고하는 것을 예로 들고 있습니다.

그런데, 의료광고는 의료 소비자에게 의학적 지식 또는 정보를 제공하는 역할을 하는 것이므로 그 역할에 필요하다면 시술행위를 노출하더라도 국가 형벌권이 적극적으로 개입하는 것은 바람직하지 않다는 점에서, 그 필요성이 없는데도 신체를 절제하는 등의 시술장면을 노골적으로 노출함으로써 인간의 존엄을 훼손할 위험성이 있다고 평가되는 광고물에 한하여 일반인에게 혐오감을 일으키는 것이라고 봄이 타당할 것입니다.

따라서 시술행위를 찍은 사진이라도, ① 정보를 제공하는 데에 필요한 것인지, ② 환부 부분이 불결 또는 흉측하거나 역겹거나 공포를 일으킬 정도인지, ③ 인간의 존엄을 훼손할 위험성이 있는 수준에 이른 것으로 볼 수 있는지에 따라, 시술행위 노출 사진에 해당되지 않는다고 판단될 수 있습니다.

> 컬러사진, 근접촬영 또는 혈액이 보인다는 점만으로 일반인에게 혐오감을 준다고 단정하기 어렵다는 이유로, 시술행위 노출 광고로 인한 「의료법」 위반의 공소사실에 대하여 무죄를 선고한 원심 판결을 유지한 사례 (창원지방법원 2018. 10. 17. 선고 2018노1747 판결)

2) 원심은, 「의료법」 제56조 제2항 제6호는 수술 장면 등 직접적인 시술행위를 노출하는 내용의 광고를 하지 못한다고 정하고 있고, 같은 조 제5항은 제2항에 따라 금지되는 의료광고의 구체적인 기준 등 의료광고에 필요한 사항은 대통령령에 위임하고 있으며, 「의료법 시행령」 제23조 제1항 제6호는 금지되는 의료광고의 구체적인 기준으로 '의료인이 환자를 수술하는 장면이나 환자의 환부 등을 촬영한 동영상·사진으로서 일반인에게 혐오감을 일으키는 것'으로 정하고 있고, 한편 의료광고는 의료 소비자에게 의학적 지식 또는 정보를 제공하는 역할을 하는 것이므로 그 역할에 필요하다면 시술행위를 노출하더라도 국가 형벌권이 적극적으로 개입하는 것은 바람직하지 않고, 그 필요성이 없는데도 신체를 절제하는 등의 시술장면을 노골적으로 노출함으로써 인간의 존엄을 훼손할 위험성이 있다고 평가되는 광고물에 한하여 일반인에게 혐오감을 일으키는 것이라고 봄이 타당하다는 전제하에서, ① 이 사건에서 피고인들이 인터넷 블로그에 코, 눈꺼풀, 팔 부위를 수술 도구로 절제 또는 연골 이식, 봉합, 지방 흡입 등 시술 행위를 찍은 사진을 게재한 사실을 인정할 수 있으나, 이러한 의료광고는 해당 시술을 원하는 의료 소비자들에게 수술 방법 등의 정보를 제공하는 데에 필요한 점, ② 이 사건 각 사진의 형상에서 환부는 자세히 보이지 아니하고, 그 환부 부분도 불결 또는 흉측하거나 역겹거나 공포를 일으킬 정도에는 이르지 아니하는 점을 근거로, 위 각 사진이 사회통념에 비추어 일반인에게 혐오감을 일으키는 것에 해당한다고 보기 어렵다고 판단하였다.

3) 원심이 적법하게 채택하여 조사한 증거들에 의하여 알 수 있는 위와 같은 사정들에다가, 위 증거들에 의하여 인정되는 다음과 같은 사정, 즉 ① 블로그에 게재된 사진이 컬러 사진이라는 점만으로 혐오감을 줄 것이라고 단정하기 어려운 점, ② 근접촬영이 아니거나 혈액이 보이지 않는다고 하더라도 수술부위, 노출 정도 등을 고려하여 혐오감을 준다고 판단할 수도 있고 그 반대의 경우도 가능한 것인바, 이 사건 각 사진이 근접촬영이라거나 혈액이 보인다는 점만으로 혐오감을 준다고 보기 어려운 점, ③ 이 사건 각 사진이 해당 시술을 원하는 의료 소비자들에게 수술 방법 등의 정보를 제공하는 역할을 넘어서 필요성이 없는 시술 장면을 노골적으로 노출하여 인간의 존엄을 훼손할 위험성이 있는 수준에 이른 것으로 보기 어려운 점 등을 더하여 보면 원심의 위 판단은 정당한 것으로 충분히 수긍이 되고, 거기에 검사가 항소이유에서 주장하는 바와 같은 사실오인 및 법리오해의 위법이 있다고 보기 어렵다. 따라서 검사의 위 주장은 이유 없다.

## Q. 유튜브에 시술행위를 올리는 것은 허용되나요?

가령 유튜브에 시술행위를 올리는 이유가 학술 단체에서 의료 기술에 관한 정보 교류 차원에서 올리는 것이라면, 그러한 행위는 의료광고가 아니므로, 「의료법」 제56조가 적용되지 않아 허용됩니다.

다만 의료광고인지 아닌지 여부는 해당 게시물을 올린 이유, 해당 게시물의 인상 등 종합적인 사정을 고려하여 판단되므로, 의료 학술 단체에서 올리는 시술행위 영상이 모두 의료광고가 아닌 것은 아닙니다.

### 의료광고 실무자를 위한 **TIPs**

1. 정보를 제공하는 데에 꼭 필요한 것인지 확인하세요.
2. 환부 부분이 불결하거나 흉측하거나 역겹거나 공포를 일으킬 수 있는지 확인하세요.
3. 인간의 존엄이 훼손될 우려가 있는지 확인하세요.

## 10. 근거 없는 자격 표방 광고

**「의료법」 제56조 제2항**
  9. 법적 근거가 없는 자격이나 명칭을 표방하는 내용의 광고

**「의료법 시행령」 제23조 제1항**
  9. 법적 근거가 없는 자격이나 명칭을 표방하는 내용을 광고하는 것

「의료법」은 법적 근거가 없는 자격이나 명칭을 표방하는 내용의 광고를 금지하고 있고, 「의료법 시행령」은 구체적으로 의료인의 기능 또는 진료 방법에 관하여 객관적으로 인정되지 아니하거나 근거가 없는 내용을 광고하는 것을 금지하고 있습니다.

「의료법」 제56조 제2항 제9호에서 말하는 '법적 근거'가 무엇을 의미하는지에 대하여, 대한의사협회 의료광고심의위원회는 「의료법」 제56조 제2항 제9호에서 말하는 '법적 근거'를 '우리나라 의료관련 법률'로 판단하고 있는 것으로 보여집니다.

대한의사협회 의료광고심의위원회 의료광고심의가이드에 따르면 공인되지 않은 치료법, 시술명, 약제명의 광고는 의료심의를 불허하고 있고, 질병이나 질병의 치료에 대한 내용의 근거를 학술지에서 인용한 경우에도 해당 학술지가 공인받은 것이어야 의료심의 허가를 받을 수 있습니다.

## Q. TV 프로그램 명의 출연 사실을 광고할 수 있나요?

TV 프로그램에 명의로 선정되어 출연하였더라도, '명의'란 표현은 법적 근거가 없는 자격이나 명칭에 해당되므로 해당 내용을 광고하는 경우 「의료법」 위반으로 판단됩니다.

## Q. 외국 의사면허나 전문의 자격 취득 사실을 광고할 수 있나요?

대한의사협회 의료광고심의위원회 사전자율심의기준에 따르면 외국 의사면허나 전문의 자격은 우리나라 의료관련 법률에 따라 인정되는 자격이라 보기 어렵다고 판단하고 있습니다. 이에 따라 외국에서 의사 면허를 취득한 자가 우리나라에서 의사 면허를 취득하지 못한 경우 또는 외국에서 전문의 자격을 취득한 자가 우리나라에서 해당 전문의 자격을 취득하지 못한 경우 의사면허 및 전문의 표시에 관한 국내법 상 제한과 혼동을 일으킬 수 있다고 판단하여 외국 의사 면허 및 외국 전문의 자격 취득을 표방하지 못하도록 기준을 정하고 있습니다.

반면 우리나라에서 전문의 자격을 취득한 자가 외국에서 해당 전문의 자격을 취득한 경우에는 외국 전문의 자격 취득 표방을 허용하고 있고, 우리나라에서 의사 면허를 취득한 자가 외국에서 의사 면허를 취득한 경우 외국 의사 면허 취득에 대한 표방을 허용하고 있습니다.

## 의료광고 실무자를 위한 TIPs

1. 의료인의 경력사항 중 'OOOO이수' 등 과정 이수에 관련한 표기는 6개월 이상의 경력만 표시하세요.
2. 전문의 자격은 보건복지부에서 인정한 법적 전문의만 표기하세요.

## 11. 심의 받은 내용과 다른 내용의 광고

**「의료법」 제56조 제2항**

11. 제57조에 따른 심의를 받지 아니하거나 심의받은 내용과 다른 내용의 광고

**「의료법 시행령」 제23조 제1항**

11. 법 제57조 제1항에 따라 심의 대상이 되는 의료광고를 심의를 받지 아니하고 광고하거나 심의 받은 내용과 다르게 광고하는 것

「의료법」은 의료심의 대상이 되는 의료광고를 심의를 받지 아니하고 광고하는 경우 또는 심의 받은 내용과 다르게 광고하는 경우를 「의료법」 위반으로 규정하고 있습니다.

### Q. 기존 승인된 광고에서 일부 내용을 수정, 발췌 등 임의변경 하여 광고할 수 있을까요?

대한의사협회 의료광고심의위원회 사전자율심의기준에 따르면 오탈자 교정, 배경색 변경 등의 경우에는 사후통보를 통한 심의위원회 승인을 받을 수 있지만, 기존 승인된 광고에서 일부 내용을 수정하거나 발췌하는 것은 임의변경으로 보아 불허하고 있습니다.

다만 기존 승인된 광고에서 일부 내용을 수정, 발췌한 경우에도 수정, 발췌된 광고의 내용이 기존 심의받은 내용과 실질적으로 다른 내용의 광고에 해당하지 않는 경우에는 「의료법」 제56조 제2항 제11호 위반에 해당하지 않을 수 있습니다.

### 의료광고 실무자를 위한 **TIPs**

1. 의료광고 사전심의 대상 매체에 광고를 진행하는 경우 반드시 심의필을 득하고 광고하세요.
2. 기존 심의 받은 광고의 내용이 실질적으로 변경되는 경우에는 의료심의를 다시 받으세요.

## 12. 외국인 환자 유치 광고

### 「의료법」 제27조(무면허 의료행위 등 금지)

③ 누구든지 「국민건강보험법」이나 「의료급여법」에 따른 본인부담금을 면제하거나 할인하는 행위, 금품 등을 제공하거나 불특정 다수인에게 교통편의를 제공하는 행위 등 영리를 목적으로 환자를 의료기관이나 의료인에게 소개·알선·유인하는 행위 및 이를 사주하는 행위를 하여서는 아니 된다. 다만, 다음 각 호의 어느 하나에 해당하는 행위는 할 수 있다.

1. 환자의 경제적 사정 등을 이유로 개별적으로 관할 시장·군수·구청장의 사전승인을 받아 환자를 유치하는 행위

2. 「국민건강보험법」 제109조에 따른 가입자나 피부양자가 아닌 외국인(보건복지부령으로 정하는 바에 따라 국내에 거주하는 외국인은 제외한다)환자를 유치하기 위한 행위

### 「의료법」 제56조 제2항

12. 제27조제3항에 따라 외국인환자를 유치하기 위한 국내광고

### 「의료법 시행령」 제23조 제1항

12. 외국인환자를 유치할 목적으로 법 제27조제3항에 따른 행위를 하기 위하여 국내광고 하는 것

### 「의료 해외진출 및 외국인환자 유치 지원에 관한 법률」
제15조(의료광고에 관한 특례)

① 외국인환자 유치의료기관은 「의료법」 제56조 제2항 제12호에도 불구하고 외국인환자를 유치하기 위하여 다음 각 호의 어느 하나에 해당하는 장소에서 외국어로 표기된 의료광고를 할 수 있다. 다만, 환자의 치료 전·후를 비교하는 사진·영상 등 외국인환자를 속이거나 외국인환자로 하여금 잘못 알게 할 우려가 있는 내용에 관한 광고는 하지 못한다.

1. 「개별소비세법」 제17조에 따른 외국인전용판매장

2. 「관세법」 제196조에 따른 보세판매장

3. 「제주특별자치도 설치 및 국제자유도시 조성을 위한 특별법」 제170조에 따른 지정면세점

4. 「공항시설법」 제2조 제3호에 따른 공항 중 국제항공노선이 개설된 공항

5. 「항만법」 제2조 제2호에 따른 무역항

② 외국인환자 유치의료기관은 제1항에 따른 의료광고를 하려는 경우 미리 광고의 내용과 방법 등에 관하여 「의료법」 제57조 제2항에 따른 기관 또는 단체의 심의를 받아야 한다.

③ 제1항 제4호 및 제5호의 장소에서는 보건복지부령으로 정하는 바에 따라 성형외과·피부과 등 특정 진료과목에 편중된 의료광고를 할 수 없다.

④ 제1항 및 제2항에 따른 의료광고의 기준과 심의에 관하여는 「의료법」 제56조, 제57조 제2항부터 제11항까지 및 제57조의2의 규정을 준용한다.

「의료 해외진출 및 외국인환자 유치 지원에 관한 법률 시행규칙」
제14조(특정 진료과목에 대한 의료광고)
　① 법 제15조 제3항에 따라 편중된 의료광고를 할 수 없는 특정 진료과목(이하 이 조에서 "특
　　정 진료과목"이라 한다)은 다음 각 호와 같다.
　1. 성형외과
　2. 피부과
　② 외국인환자 유치의료기관은 법 제15조 제1항 제4호 및 제5호에 따른 장소에서 특정 진료과
　　목에 대한 의료광고를 하는 경우에는 보건복지부장관이 정하는 바에 따라 특정 진료과목과
　　다른 진료과목의 균형을 맞추어 의료광고를 하여야 한다.
　③ 보건복지부장관은 제1항 및 제2항에 따른 특정 진료과목에 대한 의료광고를 위하여 필요한
　　경우에는 관계 중앙행정기관, 지방자치단체 또는 관계 기관·법인·단체 등에 필요한 자료
　　의 제출이나 의견의 진술을 요청할 수 있다.

　「의료법」 제27조는 영리를 목적으로 환자를 의료기관이나 의료인에게 소개·알선·유인하는 행위 및 이를 사주하는 행위를 금지하고 있지만, 예외적으로 외국인환자를 유치하기 위한 행위는 허용하고 있습니다.

　그런데 「의료법」 제56조 제2항 제12호는 국내에서의 과도한 광고행위를 우려해 외국인환자를 유치하기 위한 국내광고를 금지하고 있고, 의료광고 내용에 외국어가 포함되어 있는 경우 외국인환자 유치가 목적인 것으로 간주하였기 때문에, 외국인환자의 유치를 위한 홍보방법에 상당한 제한을 받고 있었습니다.

　그러나 외국인환자 유치 사업이 고부가가치를 창출하는 산업으로 새로운 국가 성장동력이 될 수 있다는 점에서 이에 대한 법적·제도적 지원이 필요하였기 때문에, 「의료 해외진출 및 외국인환자 유치 지원에 관한 법률」 제15조는 공항, 무역항 등 제한된 장소에서 외국어로 표기된 의료광고를 할 수 있도록 특례규정을 두고 있습니다.

　다만 이 경우에도 환자의 치료 전후를 비교하는 사진·영상 등 외국인환자를 속이거나 외국인환자로 하여금 잘못 알게 할 우려가 있는 내용에 관한 광고는 하지 못하고, 공항·무역항에서 성형외과, 피부과에 편중된 의료광고는 할 수 없습니다.

원래 태국인이었으나 한국인 남편과 혼인하여 대한민국 국적 취득한 자가 자신의 페이스북에 '성형외과 팀장 해외 영업부' 명함과 광고글, 시술 및 시술을 하는 장면, 외국인환자들과 촬영한 사진 등을 게시한 행위에 대하여 「의료법」위반을 인정한 사례 (부산지방법원 2018. 5. 16. 선고 2017고단3741 판결)

이에 피고인 A는 인터넷 페이스북(아이디: H) 등에 "부산 부산진구 E에 있는 F성형외과 팀장 A, 해외 영업부, I"이라는 내용이 기재된 명함과 "기술력과 전문성을 바탕으로 해당분야에 정통하고 개개인에게 가장 잘 어울리고 자연스럽게 성형수술을 통한 행복감을 전해드릴 수 있도록 노력한다, 많은 사람들이 무작위 성형수술의 방법으로 오고 싶어 한다, 호텔을 잡지 않아도 일일 2만 원에 임대하는 방에서 따뜻하게 휴식을 취할 수 있다"는 등의 광고글과 피고인 B와 피고인 C가 수술 및 시술을 하는 장면, 병원에 방문한 외국인환자들과 촬영한 사진 등을 게시하고, 부산 사상구 J, 202호, 부산 부산진구 K, 604호, 부산 사상구 L 등에 외국인환자들이 수술 전 후로 대기하거나 회복할 수 있는 숙소를 마련하고, 연락해 온 외국인환자들에게 수술비용 및 회복기간 등에 대해 상담 및 협의를 한 후 피고인 B, 피고인 C의 위 각 병원에 데리고 가기로 하였다.

## 의료광고 실무자를 위한 **TIPs**

1. 외국어가 포함되어 있는지 확인하세요.
2. 외국인환자 유치의료기관으로 등록하였는지 확인하세요.
3. 환자의 치료 전후를 비교하는 사진·영상 등은 사용하기 어려워요.
4. 공항, 무역항에서 성형외과, 피부과에 편중된 의료광고는 할 수 없어요.

# IV

성공하는 의사들의 의료법 지식
| 의 료 광 고  규 제 편 |

# 소개알선유인행위

> 「**의료법**」 제27조
>
> ③ 누구든지 「국민건강보험법」이나 「의료급여법」에 따른 본인부담금을 면제하거나 할인하는 행위, 금품 등을 제공하거나 불특정 다수인에게 교통편의를 제공하는 행위 등 영리를 목적으로 환자를 의료기관이나 의료인에게 소개·알선·유인하는 행위 및 이를 사주하는 행위를 하여서는 아니 된다. 다만, 다음 각 호의 어느 하나에 해당하는 행위는 할 수 있다.

「의료법」 제27조 제3항은 의료급여의 본인부담금을 면제하거나 할인하는 행위, 금품 등을 제공하거나 불특정 다수인에게 교통편의를 제공하는 행위 등을 금지되는 소개·알선·유인행위의 예시 유형으로 규정하고 있습니다.

대법원은 『의료법』에서 명문으로 금지하는 개별적 행위유형에 준하는 것으로 평가될 수 있거나 또는 의료시장의 질서를 현저하게 해치는 것인 등의 특별한 사정이 없는 한 환자의 '유인'에 해당하지 않는다'고 설시하였고(대법원 2012. 9. 13. 선고 2010도1763 판결), '의료기관 또는 의료인 스스로 자신에게 환자를 유치하는 행위는 그 과정에서 환자 또는 행위자에게 금품이 제공되거나 의료시장의 질서를 근본적으로 해하는 등의 특별한 사정이 없는 한 환자의 '유인'이라고 할 수 없고, 그 행위가 의료인이 아닌 직원을 통하여 이루어졌다고 하더라도 환자의 '소개·알선' 또는 그 '사주'에 해당하지 않는다'고 판시하였습니다(대법원 2004. 10. 27. 선고 2004도5724 판결 참조).

> 병원의 행정부장이 병원장의 허락을 받고 공공기관 및 단체 등을 방문하여 시중보다 저렴한 가격에 건강검진을 실시하고 있음을 홍보하고, 그 과정에서 병원으로부터 따로 금품을 제공받지 아니한 사건에서, 의료기관의 승인 하에 행정부장의 자격으로 행해진 피고인의 행위는 개인의 행위가 아니라 곧 의료기관의 행위로 보아야 할 것이어서 의료기관 스스로 환자를 유치한 경우에 해당하므로 구 「의료법」 제25조 제3항의 환자의 '소개·알선'이라고 할 수 없다고 한 사례(대법원 2004. 10. 27. 선고 2004도5724 판결)

## Q. (현금성) 포인트 적립제도가 「의료법」 위반인가요?

포인트 적립제도의 「의료법」 위반여부를 판단하기 위해서 우선 「국민건강보험법」 또는 「의료급여법」의 급여대상진료에 해당하는지, 포인트 사용에 병원 재방문이 요구되는지, 포인트를 지급하는 주체가 의료기관인지 여부 등을 살펴보아야 합니다.

우선 헌법재판소는, 병원 홈페이지에 임플란트 비보험진료에 대해 포인트를 적립해 준다는 광고행위에 대하여 검사가 '유인행위'로 보아 기소유예처분을 한 것에 대하여, 「국민건강보험법」 또는 「의료급여법」의 급여대상진료에 해당하지 아니하는 비보험진료 분야는 원칙적으로 스스로 그 금액을 정할 수 있는 점, 광고에 포인트 사용방식이 구체적으로 기재되어 있지 아니하여 포인트 사용에 반드시 병원 재방문을 요하는 것이라 단정할 수 없는 점, 이벤트 시작되기도 전에 광고를 삭제하여 실제로 광고를 보고 내원한 환자가 없었던 점에 비추어 보면, 위 처분은 자의적인 검찰권 행사로서 청구인의 평등권과 행복추구권을 침해하였다고 결정한 바 있습니다(헌법재판소 2017. 5. 25.자 2016헌마213 결정).

한편 법원은, 임산부 요가 프로그램에 참여한 것에 대하여 일정 금액 이상 적립되면 현금으로 출금 가능한 포인트를 적립한 사건에서, 체험단이 수령한 30,000 내지 100,000포인트는 의료기관이 광고업체에 지급한 광고대가와 별도로 의료기관에 결제한 비용을 재원으로 지급된 것으로 위 포인트는 일정 금액 이상 적립되면 현금으로 출금이 가능하여서 금품 등이 제공된 경우로 볼 여지가 있으나 체험단에게 직접 포인트를 지급한 주체가 의료기관이 아니며 체험단 모집이 광고업체 내에서 이루어져 체험단으로 참여하여 후기를 작성하고 포인트를 지급받을 수 있는 것이 1회성에 그친다는 점에서 「의료법」 위반에 해당하지 않는다고 판단한 바 있습니다(서울행정법원 2019. 1. 24. 선고 2018구합70653 판결, 서울고등법원 2019. 11. 27. 선고 2019누37372 판결).

## Q. 각종 검사나 시술 등을 무료로 추가 제공하는 것이 「의료법」 위반인가요?

「의료법」 제27조 제3항은 "누구든지 「국민건강보험법」이나 「의료급여법」에 따른 본인부담금을 면제하거나 할인하는 행위, 금품 등을 제공하거나 불특정 다수인에게 교통편의를 제공하는 행위 등 영리를 목적으로 환자를 의료기관이나 의료인에게 소개·알선·유인하는 행위 및 이를 사주하는 행위를 하여서는 아니 된다."고 규정하고 있습니다.

여기서 '「국민건강보험법」이나 「의료급여법」에 따른 본인부담금을 면제하거나 할인하는 행위'는 '영리를 목적으로 환자를 의료기관이나 의료인에게 소개·알선·유인하는 행위'의 전형적인 유형의 하나로 예시한 것이므로, 의료기관이 제공하는 의료행위가 국민건강보험이나 의료급여와 관련이 있는 경우에만 '영리를 목적으로 환자를 의료기관이나 의료인에게 소개·알선·유인하는 행위'에 해당한다고 볼 수는 없습니다.

따라서 각종 검사나 시술 등이 「국민건강보험법」 또는 「의료급여법」에 따른 본인부담금을 면제 또는 할인하는 행위에 해당하지 않더라도, 의료시장에서 공정한 시장경제질서를 왜곡하거나 과잉진료 등의 폐해를 야기할 우려가 커 의료 시장의 질서를 해할 우려가 있는 것인지 여부를 살펴보아야 할 것입니다.

서울고등법원 또한 인터넷 홈페이지에 무료 스케일링 정책을 홍보하는 글을 게재하고 다수의 지점에서 무료로 스케일링을 해온 행위에 대하여, 비록 무료 스케일링 행위가 '의료급여법에 따른 본인부담금을 면제 또는 할인하는 행위'에 해당하지 않고, 직접적으로 '금품 등을 제공하는 행위'가 아니라고 하더라도, 환자의 유치를 위하여 경쟁이 더욱 치열해지는 의료시장에서 공정한 시장경제질서를 왜곡하거나 과잉진료 등의 폐해를 야기할 우려가 커 의료시장의 질서를 현저하게 해치는 것으로 볼 수 있어, 위와 같은 무료 스케일링 행위에 대하여 '환자유인'에 해당한다고 볼 여지가 있다고 판시한 바 있습니다(서울고등법원 2019. 5. 9. 선고 2018나2057620 판결).

## Q. 비급여 항목의 할인행위가 「의료법」 위반인가요?

대법원은 「의료법」 제27조 제3항의 '본인부담금'의 범위에 비급여 진료비까지 포함시키는 것은 형벌법규의 지나친 확장해석으로서 죄형법정주의 원칙에 어긋나며, 의료시장의 질서를 근본적으로 해하는 등의 특별한 사정이 없는 한 의료기관 및 의료인 스스로 자신에게 환자를 유치하는 행위는 「의료법」 제27조 제3항의 '유인'이라 할 수 없다고 판시한 바 있습니다(대법원 2008. 2. 28. 선고 2007도10542 판결).

이에 따르면 의료기관이 비급여 진료비용 할인이라는 수단으로 스스로 자신에게 환자를 유치하는 행위는 대상·기간·범위 및 할인폭을 명확히 하는 범위 내에서 제한적으로 가능한 것입니다.

즉, 할인 기간이나 할인이 되는 비급여 항목의 범위 혹은 대상자를 제한하지 않고 무차별적으로 비급여 진료비를 할인하는 경우에는 「의료법」상 금지하는 환자유인에 해당할 소지가 있습니다.

「의료법」상 저촉되는 비급여 할인율에 대한 명확한 기준이 있는 것은 아니나 실무상 50% 이상 할인으로 광고할 경우 과도한 할인으로 「의료법」상 금지하는 환자유인에 해당할 소지가 높다고 보고 있으나, 법원의 경우 50% 이상 할인하는 경우 바로 「의료법」상 금지하는 환자유인으로 판단하는 것은 아니고 다른 특별한 사정이 있는 경우 이에 해당한다고 판단하고 있습니다.

다른 특별한 사정을 예로 들면 중개·알선자에 대한 일정 비율의 성과 수수료 지급(의정부지방법원 2018노1782 판결)이나 판매수를 거짓으로 부풀리거나 허위의 후기를 게재하는 사정(의정부지방법원 2018노3706 판결) 등이 있습니다.

## Q. 선착순 혜택을 부여한다는 조건 할인이 「의료법」 위반인가요?

임플란트 시술비를 할인하였다는 자체만으로 「의료법」을 위반한 혐의를 인정하여 기소유예처분을 한 것에 대하여 헌법재판소가 할인폭과 선착순이 유인행위를 인정하는 핵심적 지표로 볼 수 없다고 설시한 바 있는 것처럼, 선착순 혜택을 부여한다는 조건 할인이라고 하더라도 의료시장의 질서를 근본적으로 해하는 행위라고 볼 수 없는 경우가 있을 수 있으므로 위의 경우가 항상 「의료법」 위반이라고 단정하기는 어려울 것입니다.

## Q. 시술(수술) 지원금액을 제시하는 것이 「의료법」 위반인가요?

「의료법」 제27조 제3항은 "누구든지 「국민건강보험법」이나 「의료급여법」에 따른 본인부담금을 면제하거나 할인하는 행위, 금품 등을 제공하거나 불특정 다수인에게 교통편의를 제공하는 행위 등 영리를 목적으로 환자를 의료기관이나 의료인에게 소개·알선·유인하는 행위 및 이를 사주하는 행위를 하여서는 아니 된다."고 규정하고 있습니다.

위와 같이 「의료법」은 '영리를 목적으로 환자를 의료기관이나 의료인에게 소개·알선·유인하는 행위'의 전형적인 유형의 하나로 '금품 등을 제공하는 행위'를 예로 들고 있습니다.

시술(수술) 지원금액을 제시하는 것은 의료행위 후에 금품을 제공하겠다는 것이므로 사전에 금품을 제공하여 환자를 유인하는 행위와 같다고 볼 수밖에 없을 것입니다.

다만, 대법원이 「의료법」 제27조 제3항의 '본인부담금의 범위에 비급여 진료비까지 포함시키는 것은 형벌법규의 지나친 확장해석으로 죄형법정주의 원칙에 어긋나며, 의료시장의 질서를 근본적으로 해하는 등의 특별한 사정이 없는 한 의료기관 및 의료인이 스스로 자신에게 환자를 유치하는 행위는 「의료법」 제27조 제3항의 '유인'이라 할 수 없다고 판시(대법원 2008. 2. 28. 선고 2007도10542 판결)함에 따라, 의료기관이 비급여 진료비용 할인이라는 수단으로 스스로 자신에게 환자를 유치하는 행위에 대해서 실무적으로 대상·기간·범위 및 할인폭을 명확히 하는 범위 내에서 제한적으로 가능하다고 보고 있으므로, 비급여진료비용의 경우 의료시장의 질서를 근본적으로 해할 정도에 이르지 않을 정도의 지원금액 제시의 경우에는 「의료법」 위반이 아니라고 판단할 가능성도 있습니다.

## Q. 여름 맞이 청소년 할인 이벤트가 「의료법」 위반인가요?

대법원이 「의료법」 제27조 제3항의 '본인부담금의 범위에 비급여 진료비까지 포함시키는 것은 형벌법규의 지나친 확장해석으로 죄형법정주의 원칙에 어긋나며, 의료시장의 질서를 근본적으로 해하는 등의 특별한 사정이 없는 한 의료기관 및 의료인이 스스로 자신에게 환자를 유치하는 행위는 「의료법」 제27조 제3항의 '유인'이라 할 수 없다고 판시(대법원 2008. 2. 28. 선고 2007도10542 판결)함에 따라, 의료기관이 비급여 진료비용 할인이라는 수단으로 스스로 자신에게 환자를 유치하는 행위에 대해서 실무적으로 대상·기간·범위 및 할인폭을 명확히 하는 범위 내에서 제한적으로 가능하다고 보고 있는데, 이에 대하여 명확한 기준이 있는 것은 아니나, 50% 이상 할인이나 할인 기간, 할인이 되는 비급여 항목의 범위 혹은 대상자를 제한하지 않고 무차별적으로 비급여진료비를 할인하는 경우에는 위반의 소지가 있다고 판단할 가능성이 높습니다.

대법원 또한 병원 홈페이지에 중고생 등 청소년이 여드름 약물 스케일링 시술을 할 경우 50%를 할인해 준다는 내용의 여름 맞이 청소년 할인 이벤트를 실시했다가 환자유인 금지규정 위반으로 기소된 사건에서, "이 사건 광고의 내용만으로는 이 병원의 여드름 약물 스케일링 시술비가 다른 의료기관에서 정하고 있는 시술비보다 저렴하다는 것인지, 단순히 이 병원이 종전에 정하고 있던 시술비를 할인하였음을 알리는 취지에 불과한 것인지조차 분명하지 않고, 할인 기간 및 대상 시술을 제한하고 있을 뿐 아니라 경제적 여력이 충분하지 못한 청소년들만을 그 대상으로 삼고 있는 등의 사정에 비추어 보면, 피고인의 행위가 의료시장의 질서를 근본적으로 해할 정도에 이르렀다고 보이지 않으므로 환자유인에 해당한다고 볼 수 없다."고 판시한 바 있습니다.

따라서, 여름 맞이 청소년 할인 이벤트의 경우 그 자체로 환자유인에 해당한다고 보기는 어려우나, 환자의 유치를 위하여 경쟁이 더욱 치열해지는 의료시장에서 공정한 시장경제질서를 왜곡하거나 과잉진료 등의 폐해를 야기할 우려가 커 의료시장의 질서를 현저하게 해치는 것으로 볼 수 있다면 「의료법」 제27조 제3항이 금지하는 유인행위에 해당한다고 할 수 있습니다.

## Q. 체험단 모집 광고가 「의료법」 위반인가요?

체험단에게 제공한 프로그램의 내용이 의료적 치료·시술 등에 관한 것인지, 체험단이 후기를 작성함에 있어 객관적인 사실에 관한 정보를 포함하는 것 외에 병원에 유리하게 작성하도록 개입하는 등 다른 특별한 사정(중개·알선자에 대한 일정 비율의 성과 수수료 지급, 판매수를 거짓으로 부풀리는 것)이 있는지 여부를 살펴보아야 합니다.

한의원 홈페이지에 '여드름 체험단을 모집, 치료해 드립니다'라고 광고한 사건에서, 법원은 '무료 치료행위 자체를 금품의 제공으로 볼 수는 없으나 비급여 대상으로서 환자가 부담하여야 할 비용이 상당할 것으로 예상되는 여드름을 무료로 치료하여 주는 것은 환자에 대하여 금품의 제공과 유사한 정도의 강력한 유인이 될 것으로 보이며, 경제적 능력 등 합리적 기준에 의해 대상을 한정한 바 없고, 체험단 선발 인원에 관해 표시하고 있지 않은 점 등에 비추어 볼 때 의료시장의 질서를 근본적으로 해하는 환자 유인행위에 해당한다'고 판시한 바 있고(서울행정법원 2008. 12. 18. 선고 2008구합32829 판결), 체험단에게 제공한 프로그램의 내용이 의료적 치료·시술 등에 관한 것이 아닌 임산부 요가 프로그램인 점에서 유인이나 사주행위가 있었다고 보기 어렵다고 판시하기도 하였습니다(서울고등법원 2019. 11. 27. 선고 2019누37372 판결).

대법원은 의사인 피고인 甲과 피고인 乙 주식회사의 대표이사 피고인 丙이 공모하여, 피고인 乙 회사가 운영하는 인터넷 사이트의 회원들에게 안과수술에 관한 이벤트광고를 이메일로 발송하였다고 하여 구 「의료법」 위반으로 기소된 사건에서, 환자유인행위에 관한 조항의 입법취지와 관련 법익, 의료광고 조항의 내용 및 연혁·취지 등을 고려하면 의료광고행위는 그것이 「의료법」에서 명문으로 금지하는 개별적 행위유형에 준하는 것으로 평가될 수 있거나 또는 의료시장의 질서를 현저하게 해치는 것인 등의 특별한 사정이 없는 한 환자의 '유인'에 해당하지 아니하고 그러한 광고행위가 의료인의 직원 또는 의료인의 부탁을 받은 제3자를 통하여 행하여졌다고 하더라도 이를 환자의 '소개·알선' 또는 그 '사주'에 해당하지 아니한다고 봄이 상당하다고 판시하면서, 피고인 甲이 피고인 乙 회사를 통하여 이메일을 발송한 행위는 불특정 다수인을 상대로 한 의료광고에 해당하므로 특별한 사정이 없는 한 구 「의료법」 제27조 제3항에서 정한 환자의 '유인'이라고 볼 수 없고, 광고 등 행위가 피고인 甲의 부탁을 받은 피고인 乙 회사 등을 통하여 이루어졌더라도 환자의 '소개·알선' 또는 그 '사주'에 해당한다고 볼 수 없는데도, 이와 달리 보아 피고인들에게 유죄를 인정한 원심판결에 구 「의료법」상 금지되는 환자유인행위 등에 관한 법리를 오해하여 형벌법규의 해석을 그르친 위법이 있다고 판시하였습니다(대법원 2012. 9. 13. 선고 2010도1763 판결).

그러나, 체험자가 작성한 블로그 게시글의 내용이 체험자의 병원 체험담을 불특정 다수인에게 알리는 것을 넘어, 블로그 게시글을 보고 방문한 환자에 대하여 진료비를 할인하는 등 후기 게시자로 하여금 환자가 병원과 치료위임계약을 체결하도록 유도하도록 하였거나, 또는 블로그 게시글을 보고 방문한 환자가 있는 경우 해당 후기를 작성한 체험자에게 환자 유치에 대한 대가를 별도로 지급하거나 지급하기로 약정한 경우에는 「의료법」 위반의 소지가 있다고 보아야 할 것입니다(서울행정법원 2019. 1. 24. 선고 2018구합70653 판결).

## Q. 친구나 가족과 함께 의료기관 방문 시 각종 혜택을 부여하는 것이 「의료법」 위반인가요?

누구든지 영리를 목적으로 환자를 의료기관이나 의료인에게 소개·알선·유인하는 행위 및 이를 사주하는 행위를 하여서는 아니 됩니다(「의료법」 제27조 제3항 본문).

의료기관 또는 의료인 스스로 자신에게 환자를 유치하는 행위는 그 과정에서 환자 또는 행위자에게 금품이 제공되거나 의료시장의 질서를 근본적으로 해하는 등의 특별한 사정이 없는 한 환자의 '유인'이라고 할 수 없고, 그 행위가 의료인이 아닌 직원을 통하여 이루어졌다고 하더라도 환자의 '소개·알선' 또는 그 '사주'에 해당하지 않습니다(대법원 2004. 10. 27. 선고 2004도5724 판결).

부산지방법원 항소심은, A안과병원이 206회에 걸쳐 병원 직원, 가족 및 친인척을 진료하고 총 400여만 원의 본인부담금을 할인한 것이 영리를 목적으로 환자를 유인한 것이라며 「의료법」 위반으로 기소된 사건에서, 병원 직원 및 가족들에게 본인부담금을 할인해 준 행위가 영리를 목적으로 한 것이라고 단정하기 부족하고, 급여대상이 아닌 진료비 부분(비급여)은 「의료법」 제27조 제3항이 규정한 본인부담금에 해당한다고 보기 어렵고, A안과병원이 자체적으로 마련한 감면대상 범위가 감면 대상이나 실제 감면받은 횟수 등을 고려할 때 의료시장의 근본 질서를 뒤흔들 정도에 이른다고 볼 증거도 없고, 감면 대상에 대한 감면기준 적용이 자의적으로 보이는 측면은 있지만, 그것 역시 의료시장 질서를 뒤흔들 정도는 아니며, 본인부담금 감면행위가 「의료법」 제27조 제3항이 금지하는 유인행위에 해당하려면, 단순히 본인부담금 감면 행위가 있었다는 것만으로는 부족하고, 영리를 목적으로 한 것으로 인정되어야 한다고 판시한 바 있습니다.

따라서 본인부담금 면제 대상을 병원 직원과 가족 등으로 한정하고, 병원 내부의 진료비 감면 규정에 따라 감면하는 경우 그 사정만으로 바로 「의료법」 제27조 제3항이 금지하는 유인행위라 할 수는 없으나, 병원 직원의 가족 등 지인에게 병원을 홍보한다는 '지인진료보기'라는 명목으로 특정일을 지정하여 목표치만큼 환자를 유치하는 행사의 일환으로 하였다면 영리를 목적으로 한 것으로 인정될 가능성이 높으므로 「의료법」 제27조 제3항이 금지하는 유인행위에 해당될 가능성이 높다고 판단됩니다.

또한 내원 환자를 대상으로 그 친구나 가족과 함께 의료기관 방문 시 각종 혜택을 부여하는 경우에, 그러한 각종 혜택이 의료시장에서 공정한 시장경제질서를 왜곡하거나 과잉진료 등의 폐해를 야기할 우려가 있다면, 소개·알선·유인행위에 해당될 소지가 크다고 할 것입니다.

## Q. 환자에게 선물을 제공하면 「의료법」 위반인가요?

'소개·알선'이라 함은 환자와 특정 의료기관 또는 의료인 사이에서 치료위임계약의 성립을 중개하거나 편의를 도모하는 행위를 말하고, '유인'이라 함은 기망 또는 유혹을 수단으로 환자로 하여금 특정 의료기관 또는 의료인과 치료위임계약을 체결하도록 유도하는 행위를 말하며, '이를 사주하는 행위'라 함은 타인으로 하여금 영리를 목적으로 환자를 특정 의료기관 또는 의료인에게 소개·알선·유인할 것을 결의하도록 유혹하는 행위를 말합니다(대법원 2004. 10. 27. 선고 2004도5724 판결).

의료기관 또는 의료인 스스로 자신에게 환자를 유치하는 행위는 환자의 '유인'이라고 할 수 없지만, 그 과정에서 환자 또는 행위자에게 금품이 제공되거나 의료시장의 질서를 근본적으로 해하는 등의 특별한 사정이 있다면 환자의 '유인'에 해당될 수 있습니다(대법원 2004. 10. 27. 선고 2004도5724 판결 참조).

그런데, 「의료법」 제27조 제3항의 입법취지가 의료기관 주위에서 환자 유치를 둘러싸고 금품수수 등의 비리가 발생하는 것을 방지하고 나아가 의료기관 사이의 불합리한 과당경쟁을 방지하려는 데에 있고, '유인'의 의미가 기망 또는 유혹을 수단으로 환자로 하여금 특정 의료기관 또는 의료인과 치료위임계약을 체결하도록 유도하는 행위로 해석되는 점에 비추어 볼 때, 「의료법」 제27조 제3항에서 금지하고 있는 '금품제공'은 환자로 하여금 특정 의료기관 또는 의료인과 치료위임계약을 체결하도록 유도할 만한 경제적 이익이 있는 것으로서 이를 허용할 경우 의료 시장의 질서를 해할 우려가 있는 것으로 한정된다고 할 것입니다.

헌법재판소 또한 산부인과에서 출산선물을 제공한 행위에 대하여, 산부인과 의료행위의 성질에 비추어 단순히 출산선물을 제공하는지 여부, 출산선물의 내용에 따라 산부인과를 결정하지는 않을 것이고, 제공한 물품들이 퇴원할 무렵에 필요한 소모품으로서 출산병원에서 당연히 제공하여야 할 것들이고, 병원 홈페이지의 공지사항에 게재되어 모든 산모들에게 동일하게 제공된 점에 비추어 보면, 이를 '금품제공'으로 보기는 어렵다고 판단하였습니다(헌법재판소 2016. 7. 28.자 2016헌마176 결정).

따라서 내원한 환자를 대상으로 명절에 선물을 제공하는 것은 「의료법」 위반의 소지가 있다고 할 수 있으나, 그 선물이 치료위임계약을 체결하도록 유도할 만한 경제적 이익이 있는 것으로서 이를 허용할 경우 의료 시장의 질서를 해할 우려가 있는 것인지 여부를 살펴보아야 할 것입니다.

PART

기타 주의해야 할 사항

# 1. 방송 등(「의료법」 제56조 제3항)

**「의료법」 제56조**

③ 의료광고는 다음 각 호의 방법으로는 하지 못한다.

1. 「방송법」 제2조 제1호의 방송
2. 그 밖에 국민의 보건과 건전한 의료경쟁의 질서를 유지하기 위하여 제한할 필요가 있는 경우로서 대통령령으로 정하는 방법

**「방송법」 제2조 제1호**

1. "방송"이라 함은 방송프로그램을 기획·편성 또는 제작하여 이를 공중(개별계약에 의한 수신자를 포함하며, 이하 "시청자"라 한다)에게 전기통신설비에 의하여 송신하는 것으로서 다음 각목의 것을 말한다.

   가. 텔레비전방송: 정지 또는 이동하는 사물의 순간적 영상과 이에 따르는 음성·음향 등으로 이루어진 방송프로그램을 송신하는 방송

   나. 라디오방송: 음성·음향 등으로 이루어진 방송프로그램을 송신하는 방송

   다. 데이터방송: 방송사업자의 채널을 이용하여 데이터(문자·숫자·도형·도표·이미지 그 밖의 정보체계를 말한다)를 위주로 하여 이에 따르는 영상·음성·음향 및 이들의 조합으로 이루어진 방송프로그램을 송신하는 방송(인터넷 등 통신망을 통하여 제공하거나 매개하는 경우는 제외한다. 이하 같다)

   라. 이동멀티미디어방송: 이동중 수신을 주목적으로 다채널을 이용하여 텔레비전방송·라디오방송 및 데이터방송을 복합적으로 송신하는 방송

**「의료법 시행령」 제23조(의료광고의 금지 기준) 제1항**

10. 특정 의료기관·의료인의 기능 또는 진료 방법에 관한 기사나 전문가의 의견을 「신문 등의 진흥에 관한 법률」 제2조에 따른 신문·인터넷신문 또는 「잡지 등 정기간행물의 진흥에 관한 법률」에 따른 정기간행물이나 「방송법」 제2조제1호에 따른 방송에 싣거나 방송하면서 특정 의료기관·의료인의 연락처나 약도 등의 정보도 함께 싣거나 방송하여 광고하는 것

「의료법」 제56조 제3항은 방송법에 의한 방송 및 대통령령으로 정하는 방법에 의한 광고(별도로 시행령에서 규정하고 있는 것은 없음)를 금지하고 있습니다.

한편, 「방송법」에서 규정하고 있는 방송은 텔레비전방송, 라디오방송, 데이터방송, 이동멀티미디어방송이므로, LCD 전광판을 이용한 광고와 같이 「방송법」상 광고가 아닌 경우에는 허용됩니다.

위와 같이 의료기관의 방송광고는 철저히 금지하고 있지만, 방송이 가지는 파급력과 공신력 때

문에 대부분 의료인은 방송에 출연한 후 방송에 노출된 사실과 해당 영상을 다른 방법으로 활용하는 것이 일반적입니다.

따라서 광고가 아닌 방송이라 할지라도 해당 방송에서 병원명, 연락처, 약도 등의 정보를 공개하는 것은 주의하여야 할 것입니다.

## 2. 비급여 진료비용 등의 고지

> **「의료법」 제45조(비급여 진료비용 등의 고지)**
> ① 의료기관 개설자는 「국민건강보험법」 제41조 제4항에 따라 요양급여의 대상에서 제외되는 사항 또는 「의료급여법」 제7조 제3항에 따라 의료급여의 대상에서 제외되는 사항의 비용(이하 "비급여 진료비용"이라 한다)을 환자 또는 환자의 보호자가 쉽게 알 수 있도록 보건복지부령으로 정하는 바에 따라 고지하여야 한다.
> ② 의료기관 개설자는 보건복지부령으로 정하는 바에 따라 의료기관이 환자로부터 징수하는 제증명수수료의 비용을 게시하여야 한다.
> ③ 의료기관 개설자는 제1항 및 제2항에서 고지·게시한 금액을 초과하여 징수할 수 없다.
>
> **「의료법 시행규칙」 제42조의2**
> ① 법 제45조 제1항에 따라 의료기관 개설자는 「국민건강보험법」 제41조제4항에 따라 요양급여의 대상에서 제외되는 사항 또는 「의료급여법」 제7조제3항에 따라 의료급여의 대상에서 제외되는 사항(이하 이 조에서 "비급여 대상"이라 한다)의 항목과 그 가격을 적은 책자 등을 접수창구 등 환자 또는 환자의 보호자가 쉽게 볼 수 있는 장소에 갖추어 두어야 한다. 이 경우 비급여 대상의 항목을 묶어 1회 비용으로 정하여 총액을 표기할 수 있다.
> ② 법 제45조 제1항에 따라 의료기관 개설자는 비급여 대상 중 보건복지부장관이 정하여 고시하는 비급여 대상을 제공하려는 경우 환자 또는 환자의 보호자에게 진료 전 해당 비급여 대상의 항목과 그 가격을 직접 설명해야 한다. 다만, 수술, 수혈, 전신마취 등이 지체되면 환자의 생명이 위험해지거나 심신상의 중대한 장애를 가져오는 경우에는 그렇지 않다.
> ③ 법 제45조 제2항에 따라 의료기관 개설자는 진료기록부 사본·진단서 등 제증명수수료의 비용을 접수창구 등 환자 및 환자의 보호자가 쉽게 볼 수 있는 장소에 게시하여야 한다.
> ④ 인터넷 홈페이지를 운영하는 의료기관은 제1항 및 제3항의 사항을 제1항 및 제3항의 방법 외에 이용자가 알아보기 쉽도록 인터넷 홈페이지에 따로 표시해야 한다.
> ⑤ 제1항부터 제4항까지에서 규정한 사항 외에 비급여 진료비용 등의 고지방법의 세부적인 사항은 보건복지부장관이 정하여 고시한다.

## 비급여 진료비용 등의 고지 지침[시행 2016. 12. 28.]

### 제3조(고지 매체 및 장소)

① 의료기관 개설자는 의료기관 내부에 제본된 책자, 제본되지 않은 인쇄물, 메뉴판, 벽보, 비용 검색 전용 컴퓨터 등의 매체를 사용하여 비급여 진료비용 등을 고지하여야 한다. 이 경우 제 2조에 따른 고지 대상을 모두 기재하고, 환자들이 쉽게 열람할 수 있도록 하여야 한다.

② 의료기관 개설자는 환자 안내데스크, 외래 접수창구 또는 입원 접수창구 등 많은 사람들이 이용하는 1개 이상의 장소에 제1항에 따른 고지 매체를 비치하고 안내판을 설치하여야 한다. 이 경우 병원 건물이 다수일 경우에는 외래 또는 입원 접수창구가 있는 건물마다 추가로 비치하여야 한다.

### 제4조(인터넷 홈페이지 게재방법)

① 인터넷 홈페이지를 운영하는 의료기관이 「의료법 시행규칙」 제42조2 제3항에 따라 인터넷 홈페이지에 비급여 진료비용 등을 게시하는 경우에는 홈페이지 초기 화면의 찾기 쉬운 곳에 고지하여야 한다. 배너(banner)를 이용하는 경우에는 가능한 한 비급여 진료비용 등을 고지한 화면으로 직접 연결되도록 하여야 한다.

② 제1항에 따른 비급여 진료비용 등을 한 화면에 게시할 수 없는 경우 비급여 진료비용의 항목 별 나열 기능과 항목명 검색 기능을 함께 제공하여야 한다. 이 경우 마우스 포인터를 올려놓아야 비용이 보이는 방식은 지양한다.

### 「의료법」 제63조(시정 명령 등)

① 보건복지부장관 또는 시장·군수·구청장은 의료기관이 제15조제1항, 제16조제2항, 제21조 제1항 후단 및 같은 조 제2항·제3항, 제23조제2항, 제34조제2항, 제35조제2항, 제36조, 제 36조의2, 제37조제1항·제2항, 제38조제1항·제2항, 제41조부터 제43조까지, 제45조, 제 46조, 제47조제1항, 제58조의4제2항 및 제3항, 제62조제2항을 위반한 때, 종합병원·상급 종합병원·전문병원이 각각 제3조의3제1항·제3조의4제1항·제3조의5제2항에 따른 요건에 해당하지 아니하게 된 때, 의료기관의 장이 제4조제5항을 위반한 때 또는 자율심의기구가 제57조제11항을 위반한 때에는 일정한 기간을 정하여 그 시설·장비 등의 전부 또는 일부의 사용을 제한 또는 금지하거나 위반한 사항을 시정하도록 명할 수 있다.

한편, 「의료법」은 비급여 진료비용 등에 대해서 환자 또는 환자의 보호자가 쉽게 알 수 있도록 대상 항목과 그 가격을 적은 제본된 책자, 제본되지 않은 인쇄물, 메뉴판, 벽보, 비용검색 전용 컴퓨터 등의 매체를 사용하여 환자 또는 환자의 보호자가 쉽게 열람할 수 있도록 하여야 한다고 규정하고 있습니다.

특히, 인터넷 홈페이지를 운영하는 의료기관의 경우에는 별도로 **인터넷 홈페이지 초기화면의 찾기 쉬운 곳에 따로 표시하여야** 한다고 규정하고 있고, 이를 위반하는 경우 시정명령의 대상이 되는 만큼 주의를 요합니다.

PART

**VI**

성공하는 의사들의 의료법 지식
| 의 료 광 고 규 제 편 |

# 제재 및 구제수단

## 1. 행정상 제재 및 구제수단

보건복지부장관은 의료인이 의료광고에 관한 「의료법」 제56조 제2항 및 제3항을 위반한 경우, 「의료법」 제63조 제2항에 따라 시정명령을 내리거나, 「의료법」 제64조에 따라 그 의료업을 1년의 범위에서 정지시키거나 개설 허가의 취소 또는 의료기관 폐쇄를 명할 수도 있으며(「의료법」 제67조에 따라 「의료법」 제64조 제1항에 따른 업무 정지 처분을 갈음하여 과징금을 부과할 수 있음. 단 자격정지처분은 과징금으로 갈음할 수 없음), 「의료법」 제66조 제1항 제10호에 따라 의료인의 면허자격을 1년의 범위에서 정지시킬 수 있습니다.

2019. 8. 30. 시행된 「의료관계 행정처분 규칙」에 따르면, 대표적인 유형의 행정처분 기준은 다음과 같습니다.

| 유형 | 행정처분기준 |
|---|---|
| 금지되는 소개 · 알선 · 유인행위를 한 경우 | 자격정지 2개월 |
| 허위 광고 | 업무정지 2개월 |
| 과장 광고 | 업무정지 1개월 |

보건당국(정확히는 보건복지부 장관)의 행정처분(예를 들어 면허자격정지 처분)이 재량권을 일탈·남용하여 이루어진 것이거나, 의료기관의 비난가능성이 낮은 특별한 사정이 존재한다면 이를 이유로 보건당국의 행정처분에 대한 취소소송을 제기할 수 있습니다.

## 2. 형사 처벌 및 구제수단

의료인이 의료광고에 관한 「의료법」 제56조 제1항부터 제3항까지를 위반한 경우, 「의료법」 제89조에 따라 1년 이하의 징역이나 1천만원 이하의 벌금에 처할 수 있습니다. 또한 소개·알선·유인행위를 금지하는 「의료법」 제27조 제3항을 위반한 경우, 「의료법」 제88조 제1호에 따라 3년 이하의 징역이나 3천만원 이하의 벌금에 처할 수 있습니다.

의료기관이 보건당국의 시정명령에 응하지 않는 경우, 보건당국은 행정처분 외에도 수사기관에 해당 의료기관에 대한 형사고발을 진행할 수 있습니다. 또한 의료기관의 환자 또는 시민단체가 해당 의료기관을 고발하는 경우도 많습니다.

의료기관에 대한 고발이 접수가 되면 수사기관은 해당 의료기관의 의료광고가「의료법」을 위반하였는지를 조사하고, 최종적으로 기소 여부를 결정하게 됩니다. 수사기관의 조사 결과「의료법」위반 여부가 인정되지 않는 경우, 수사기관은 불기소 처분(혐의 없음 또는 증거불충분)을 하고,「의료법」위반이 인정되는 경우에도「의료법」위반 여부가 경미한 경우에는 기소유예 처분을 할 수 있으므로, 의료기관은 수사단계에서부터 적극적으로「의료법」적용에 관한 의견을 개진하여 스스로를 방어할 필요가 있습니다.

수사기관이 해당 의료기관의「의료법」위반이 인정된다고 보아 기소 처분을 하고, 최종적으로 의료기관의「의료법」위반이 법원에서 확정되는 경우, 보건당국은 이를 근거로 형사처벌과 별도로 행정처분을 내릴 수 있습니다.

## 의료광고 실무자를 위한 **TIPs**

1. 다툼의 여지가 없는 위반(예를 들어 심의대상인 광고의 사전심의를 받지 않고 광고하는 경우)에 특별히 주의하세요.
2. 의료기관에 불만을 가진 환자 및 내부 직원이 고발을 하는 경우가 많으니 환자 및 직원 관계에 특별한 관심을 가지세요.
3. 만약 형사 고발이 이루어졌다면, 최초 수사단계에서부터 적극적으로 방어하세요.

대표 저자

변호사 이 윤 환

· 법률사무소 윤헌 대표 변호사

· 대한성형외과의사회 자문 변호사

〈주요강의〉

· 의료광고 규제를 중심으로 한 의료법의 이해

· 스킨부스터 주사행위의 법적 쟁점들(유형별로 살펴본 의료행위의 허용범위)

이메일: leeyh@yoonhun.com